ネット社会と闘う
～ガラケー女と呼ばれて～

さはらえり

はじめに
～私が経験した「一億総加害者社会」

ある日突然、自分が犯罪者扱いされる。

そんなこと、想像したこともありませんでした。もちろん、人間ですから、性格の不一致や多少の好き嫌いなどで文句や悪口を言われることはあるかもしれません。しかし、私が投げかけられた言葉は、「犯罪者」です。まったくもって何も心当たりはないのに、です。思考が止まるというのは、こういうことを指すのだと実感しました。

二〇一九年の夏の終わり。世間を大いに賑わせた「常磐道あおり運転事件」にまつわるデマ情報の拡散によって、私は一夜にして「犯罪者扱い」され、その後、

「被害者」となりました。まったく似ても似つかない、「犯人」の同乗者と間違われ、ネット上でまさに〝袋叩き〟にあったのです。とても辛く、苦しい時間を経験しました。

同時に、その完全なるデマ情報を「ごくごく軽い気持ちで」拡散した多くの人が、「加害者」となったのです。彼／彼女たちのほとんどは、その自覚がありません。まったくそのつもりがないうちに「加害者」となり、その後、多少の時間をかけて、「真の犯罪者」となったのです。

もし、家族が知らない間に犯罪者になっていたら、どうしますか？　自分の子供が、自分の親が、自分の夫が、妻が、何も考えずに書いた「つぶやき（ツイート）」で、あるいは何も考えずに押したリツイートボタンで「加害者」となり、「犯罪者」となることを想像してみてください。知らなかったでは済まされない現実が、すぐ目の前にあるのです。

最近、テレビを見ていると、思いもよらないニュースが飛び込んでくることがあります。海外でも多いようですが、二〇二〇年春にも、国内で若い女性プロレスラーの方が、SNS(ソーシャル・ネットワーキング・サービス)の誹謗中傷に耐えきれず、自ら命を絶ってしまうという悲しい事件がありました。

「死」そのものは、本人の選択だったかもしれませんが、ネット民の集中攻撃が彼女をそこまで追い詰めたのです。メディアでは「指殺人」と言われはじめていますが、SNSの誹謗中傷は本当に殺人行為であり、犯罪です。

私は、この事件の一カ月後に入院・手術を控えていました。「体調が優れないなかでこんなことに巻き込まれて」と心配してくれた友人から言われた言葉が、今でも耳から離れません。

「生きてくれて、ありがとう」

以下の文章は、その友人から送られたメールです（一部、省略しています）。

事件のことを聞いたとき、「そんなわけないじゃん（笑）」ってすぐ思った。本人を知ってる人は、みんなそう思ったと思う。

でもその後、巻き込まれてる事件の状況を詳しく知ると……　怖い!!　全然、知らない人からの誹謗中傷がＳＮＳに書き込まれ、会社にまで電話の嵐で、会社のホームページまで閉鎖……　世の中の敵意が向けられてて、何が起こってるのかわからないし、怖くて怖くて仕方ないだろうなって、私だったら病んじゃうかもって。

こんな怖い人たちは何するかわからないから、あなたが変な人に傷付けられたらどうしようって。Facebookもインスタも会社のサイトもぜんぶ拡散されて、攻撃されてる。家まで変な人が来たらどうしようって。とにかく、落ち着いて私の家に避難してもらって、どうするか考えなきゃ!!　怖いだろうから助けなきゃって思ったの。

でも、そのLINEを送った後にすぐ、「なんで私が隠れるの？　私、悪いことしてないし」って返信きたの。その後もどんどん対応策練って、ちゃんと立ち向かって、とってもカッコイイと思った。世の中には私みたいに怖いから逃げなきゃって考えて、何もできなくて病んじゃうみたいな人ってきっといると思うのよ。すごいって思ったのとなんかパワーもらったよ！

このメールが、私が本を書こうと思った大きなきっかけです。何もできなくて病んじゃう。場合によっては自ら命を絶ってしまう。そんな「被害者」をもう、見たくないし、誰にも「加害者」になってほしくありません。もし被害者になったとき、どんな行動をすればいいのかを知ってもらいたいと思いました。そして、ＳＮＳに書き込むとき、リツイートボタンや「いいね」ボタンを押すとき。その行動がもたらすかもしれない、とんでもない現実を、皆さまによく知ってほしいと思います。

二〇二〇年一〇月

第一章

その日は、突然来た

1節　電話が鳴り止まない日

二〇一九年、八月一七日、土曜日の朝六時。枕元のiPhoneが鳴り響いた。もちろん、寝ていた。

「メールかな、後でいいや」

また鳴った。今度は呼び出し音が長い。え？　電話？　こんな早朝に？

その瞬間、身内の不幸を予想した。しかし、非通知の着信だった。

「こんな朝に非通知で電話とか常識なさすぎるでしょ」と思い、iPhoneを放り投げて、二度寝しようとした。でも、また鳴りはじめた。眠い中、片目を開けて見たらメールの内容がバナー表示されていた。

その件名はこうだ。

「犯人の女か？」

……誰？　犯人？　女？　何のことかまったく分からない。それよりも眠い。昨日は、終日、クライアントと打ち合わせをしていて、帰宅後もメールやら作業やらで、就寝したのは午前一時過ぎだったのだ。一体、何が起きているのだろうとぼんやり思いながら、またウトウトしてしまった。

三〇分間くらい、知らない人からの電話やメールが続く。その中で一人、友人から連絡があった。

そこには、注目されているニュースや書き込みをまとめたリンクを貼っている、いわゆる「まとめサイト」のＵＲＬと、「ネットで晒されているよ。炎上しているから自分の名前をググってみて（※ググる＝検索のこと）」と書いてある。

寝ぼけまなこのまま、そのリンクを開くと、そこには私の名前と顔写真が載っていた。今度こそ、飛び起きた。

「(ガラケー女／あおり運転の同乗者)の顔画像と名前特定か？　犯人の妻？　愛人？　仕事仲間？」

「ガラケー女 あおり運転特定指名手配同伴していた女特定」

え？　何これ？　どういうこと？　誰？　え？　本当に何？　なんでこんなことになってるの？

これが、その時のリアルな私の反応だ。何が起きているのか、まったく理解できなかった。そもそもの原因である、あおり運転の事件についても、「耳にしたことがある」程度で、とくに強い関心も持っていなかった。

友人のメッセージの通り、自分の名前を検索してみたら、すでに誹謗中傷がはじまっていた。

長い長い、そして今(二〇二〇年一〇月現在)も続いている、「ネット社会との闘い」のはじまりだった。

2節　事の顛末(常磐道あおり運転事件)

ここで、簡単に私の自己紹介をしておこう。東京都内で、デザイン会社を経営している。とはいえ、二〇一九年に立ち上げたばかりで、まだまだ小さな会社であり、特段、何の実績もない。この一件以降、メディアで「経営者の女性」と紹介されるたびに恐縮しっぱなしである。

しかし、名刺はあちらこちらで配っていたから、いつ、誰から連絡が来てもおかしくはない。ホームページも開設している。言ってみれば、私の連絡先を「利用する」ことのできる人は数多くいた。そう考えると、改めて大きな恐怖が襲ってきた。

この日は週末で、会社の電話をスマホに転送させていたため、電話やメールが大げさではなく、「鳴り止まない」状態だったのだ。次から次に電話がかかってくるので、ほぼずっと着信画面だった。ＳＮＳはもちろん、他のアプリも開ける状態ではなく、そちらはもう一台のスマホでほとんど対応していた。

後で調べたことだが、事件の背景はこんなことだった。

二〇一九年八月一〇日、茨木県守谷市の常磐高速自動車道において、一人の男が一台の乗用車に対して執拗なあおり運転を繰り返したあげく、高速道路の真ん中で停車。車から降りてきて「殺すぞ」などと怒鳴りながらその乗用車の運転手を何度も殴りつけた。その際に、男の車に同乗していた女性が、その様子を終始、携帯電話、それもいまはユーザーが少なくなったガラケー（ガラパゴスケータイの略。スマートフォン以前、主流だった携帯電話のこと）で撮影していた。その模様は、被害者である乗用車のドライブレコーダーに記録されていた。たびたびニュースで流れたその衝撃的な映像は、多くの人の記憶に残るものとなり、さまざまなソーシャルメディアを通じて凄まじいスピードで拡散していった。

そして八月一六日、ついに男が全国に指名手配され、名前と顔写真が公開された。あの恐ろしい映像の記憶から、多くの人が一刻も早く見つかってほしい、逮捕されてほしいと願っただろう。実際に、後日、逮捕された男はInstagramやFacebookなど、ＳＮＳでも熱心に活動していたこともあって、実名が報道されたことで、あっという間にその個人情報が拡散した。

結果、ネット上ではすぐに「集団リンチ」がはじまった。しかし、ネット民たちが、実際に暴力をふるった男以上にざわついたのは、情報が公開されていない同乗の女性のことだった。

「あのガラケー女は誰だ？」

たちまち、犯人探しがはじまる。指名手配された男とは違い、その女性はSNS上に写真が掲載されていなかっただけに、いわゆる「特定班」（主にSNSやブログにおいて、発信されている情報をもとに個人を特定する人物、あるいは活動のこと）でも、なかなか特定できなかったようだ。

結果、指名手配から一夜明けて（実際には明けていなかったが）、ネットに流れたのが、先述した「あおり運転に同乗していた女、特定」の記事、というか書き込みだった。

その「特定された女＝ガラケー女」として、もの凄い勢いで拡散されていたのが、かくいう私の写真である。同時に、Instagram、会社のホームページ情報もまた、瞬く間に拡散していた。会社のホームページには、電話番号を記載していた。その結果が、早朝の電話攻撃だったのだ。

ちなみに、特定班とは、著名なインターネットのプロフェッショナルの方々でもなければ、もちろん、公的機関でもない。一般市民だ。SNSに掲載されている、わずかな情報や写真をもとに、なにかしら問題を起こした人物の住所や本名、勤務先や学校などを、あっという間に「特定したもの」として拡散してしまう。例えば芸能人同士の交際の噂が出た際には、双方のSNSをくまなく探索し、わずかな共通項を見つけては「晒す」のだ。それが真実か否かなどは、まったく関係ない。ただ、恐るべき集中力と情熱を注ぎ込んでいることは間違いないだろう。

一見、ネットに精通している人たちに見えなくもないが、私のケースのように、根も葉もない情報を拡散することも多々ある。それでも「ネットの匿名性」を信じ込み、それに守られていると考えているのであれば、完全に情報弱者に分類されると思う。

3節　おそるべきTwitterの拡散力

一番初めに、「ガラケー女」として私の個人情報が投稿されたのが、Twitterだったらしい。「らしい」というのは、事実は誰にもわからないのだ。もしかしたら、違うSNSやブログサイトだったのかもしれないが、私が認識したのはTwitterの書き込みだった。

どうやら、あおり運転の男がInstagramで私のアカウントをフォローしていたらしい。そして、その男がフォローしている人の中で、「ガラケー女と容姿が似ていた」として私の情報が拡散されたのだ。

私自身はもちろん、私のことを知っている人たち全員が、「どこが似ているの?」と口を揃えていたが、ネット上では噂というレベルではなく、まるで確定情報のように瞬く間に広まっていった。

「同じ服装の写真がある」という書き込みや、私が以前、Instagramにアップした写真と比較され、「サングラスが同じ」だとか、「被っている帽子が同じ」だとか、ついには「どう見ても輪郭が一緒だから言い逃れできない」とまで書かれていた。

正直、目を疑う内容ばかりだった。しっかり見なくても判別できるほど、服装も帽子もまったく違う。しかし、そうした慎重さを訴えたり、諌めたりする書き込みは、少なくともこの段階のTwitterには見つけることができなかった。

だいたい、「本当のガラケー女」は五〇代の女性だった。かろうじてまだ三〇代の私にとって、間違われたことが何よりもショックだった。「あの人、（私とは）体型もぜんぜん、違うよね。どこも似てないじゃん」と同じことを何人かに言われた。騒動が少し落ち着いてから、周りの友人たちにもっとも言われた冗談が「（その女性と）間違われるってどーよ（笑）」ってことだった。同じく、「（間違われたことが）一番衝撃的でしょ（笑）」とも言われた。私を分かっている人たちとは一緒に大笑いできたが、それは後日の話である。それほど、背丈、体型、顔が違うのだ。「どこからどう見ても同じ」だと断定する人たちに、眼科を紹介したいと心から思った。

これらTwitterに上げられた投稿が、今度は他のSNSやネットメディアへコピーされる。「5ちゃんねる」という掲示板で拡散され、いくつものトレンドブログ(※)にまとめられた。そして、それら拡散された記事がまたコピーされてTwitterに戻ってくる。それがまたリツイートされて他のSNSに流されてという繰り返し。わずか数時間で雪だるま式に大きくなったこの話題は、もはやSNSの種類を問わず、インターネットという世界の中で広がりを見せた。

このあおり運転事件は、前述したように一部始終が被害者の車に搭載されていたドライブレコーダーに記録され、その映像のインパクトたるや、それまでに発生していた他の類似事件の比ではなかった。しかも、加害者の乗っていた車はいわゆる高級車で、その言動とのギャップも関心を呼ぶ格好の材料となった（後にディーラーが提供した「代車」であること、それも返却の約束を守っていなかったことも判明した）。また、二〇一七年に起こった「東名高速夫婦死亡事故」（後述）を契機に、あおり運転に対する法規制強化の機運が盛り上がっている最中でもあり、事件の話題性はとても高かった。

加えて、お盆休みでヒマな人間が多かったことも影響し、新聞や雑誌、テレビなどのマスメディアがあまり動かない週末にも関わらず、”ガラケー女特定“のツイートは爆発的に拡散された。Twitter、Instagram、FacebookなどのSNS、5ちゃんねるやトレンドブログなどで拡散された数は、実に一〇万件を超えていたらしい。なお、この日、私の名前（実名）がネットニュースのトレンド入りしたそうだ。

ちなみに、私がもっとも許せなかったのが、この「トレンドブログ」というサイトの運営者だ。お金稼ぎのためにデマを拡散して人を傷つけている、その存在に意義など感じられなかったし、もちろん、いまも感じていない。

※トレンドブログ

トレンドブログとは、アフィリエイト収入を目的に話題となっているトレンドネタ、時事ネタを扱うブログの総称。美容製品の紹介などもあるが、多いのは芸能ゴシップネタ、犯罪事件ネタ、テレビネタなど。しかし、この場合は一次情報を確認しない、いわゆる「裏を取らない」記事がほとんどなので、信憑性は高くはない。多くのブログは、刺激的なタイトルをつけ、誘引することで多数のアクセスを稼ぐことを目的としている。ブログの運営権を売買するビジネスも登場、数百万円もの値段でやり取りされるケースもある

4節　耐えられない心当たりのない誹謗中傷

私自身が、一番、力を入れて更新していたSNSはInstagramだ。ちなみに、Twitterについてはアカウントすら持っていない。

そのInstagramの過去の投稿に対しても、コメント欄への記入がもの凄い勢いで増えていった。

「早く自首しろ」「キチガイババア」「明日から刑務所生活w」などという、〝犯罪者〟として攻撃するような内容から、「ブッサイクだな」「悪人の顔してる」といった容姿への中傷、性的な卑猥な単語がこれでもかと並んでいた。見も知らない赤の他人に、ここまでの中傷をぶつけられる、その精神状態がどうしても、理解できなかった。

「彼氏が横であんなにひどいことをしているのに、よく平気な顔して撮影できるな」とコメントした人がいたが、「私だって本当にそう思うよ」というのが偽りのない気持ちだった。

ちなみに、Instagramは、写真投稿をメイン機能としたSNSだ。多様なフィルタ機能や動画編集機能があり、若い人からお年寄りまで、一般の方から芸能人、ハリウッド俳優まで、利用層は実に幅広い。Twitter同様に、DM（ダイレクトメッセージ）の機能もある。Facebook社が運営しているのでFacebookとの連携機能も強いが、今回はInstagramからFacebookへの〝飛び火〟はほぼなかった。

次から次に来るInstagramのDMはあっという間に一〇〇〇件を超えた。数はもうそれ以上表示されなかったので、実際に何件のDMが来たのかは、分からない。

DMは、投稿ページのコメントと違って、他の人に見られないため、内容も過激だった。

「バーカバーカ」「死ね」「ブス」「地獄に落ちろ」といった幼稚なものから、「生まれてきたことが間違い」「子供の未来のためにお前は絶対に子供を産むな」「あなたみたいな精神異常者にならなくてよかった」といった言葉を、さまざまな表現を駆使して長文で送って来る人もいた。

正直な感想を述べると、見ず知らずの、まったく自分の生活に関係のない人間に対して、そんな暴言を吐く人の子供の未来の方が心配になったくらいだ。というのも、彼らのプロフィールやタイムラインをさかのぼると、小さいお子さんの写真ばかりをアップしている人が多かったのだ。世間では良いパパ、ママと映っているであろう人たちの、真の顔、裏の顔を見たようで恐ろしくなった。

国際大学グローバル・コミュニケーション・センターの山口真一氏の資料によると、「ネットの炎上に加担する動機」は、「七〇％程度が正義感に基づく」と記されている。おそらく、私に対して誹謗中傷をＤＭでぶつけ、あるいはＳＮＳ

に書き込んだ人の多くも、このあおり運転をした加害者や、その模様を笑いながら撮影していた「ホンモノのガラケー女」に対する憤りがその動機だろう。

しかし、その情報の真偽をまったく確認することなく、完全に間違った情報を鵜呑みにした責任は、どこにも問えないのか。また、仮に、本当に仮に、本物の加害者に向けられた攻撃で、かつそれが正義感に基づいたとしても、他人の容姿や、勝手に憶測した出自、性格についてまで攻撃していいのだろうか。

使い古された表現だが、「言葉の暴力の重み」を、ネットを使うすべての人が考えないといけないと、心の底から感じている。

それらの誹謗中傷はあまりにひどく、対峙していると胸を締め付けられるほどの苦しい時間が続いたが、一方で数が多すぎたためか感情が麻痺してしまったのも事実だ。ほんの一部だが、誹謗中傷の書き込みの数々を、アカウント名を伏せたうえで、ここに掲載させてもらう。

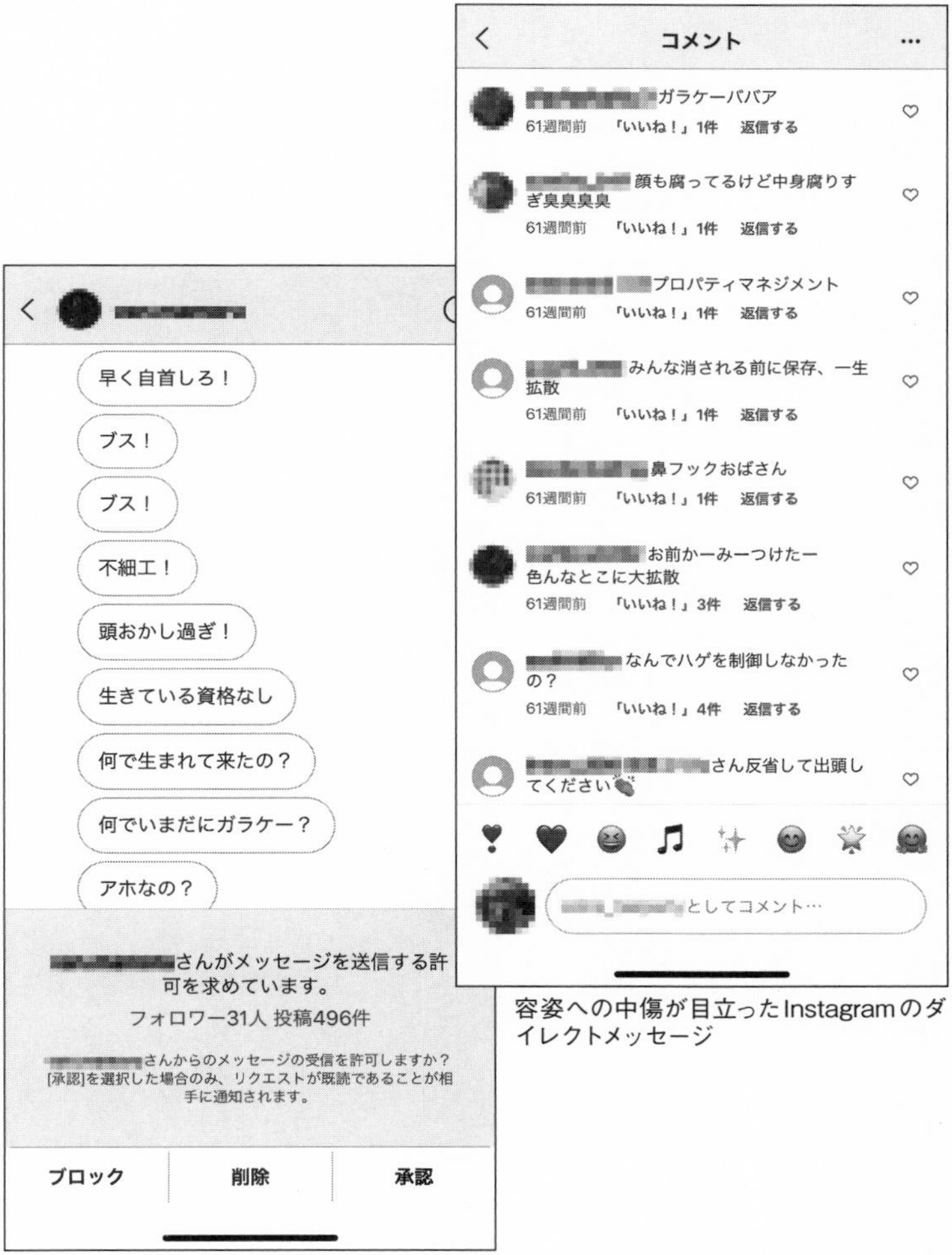

容姿への中傷が目立ったInstagramのダイレクトメッセージ

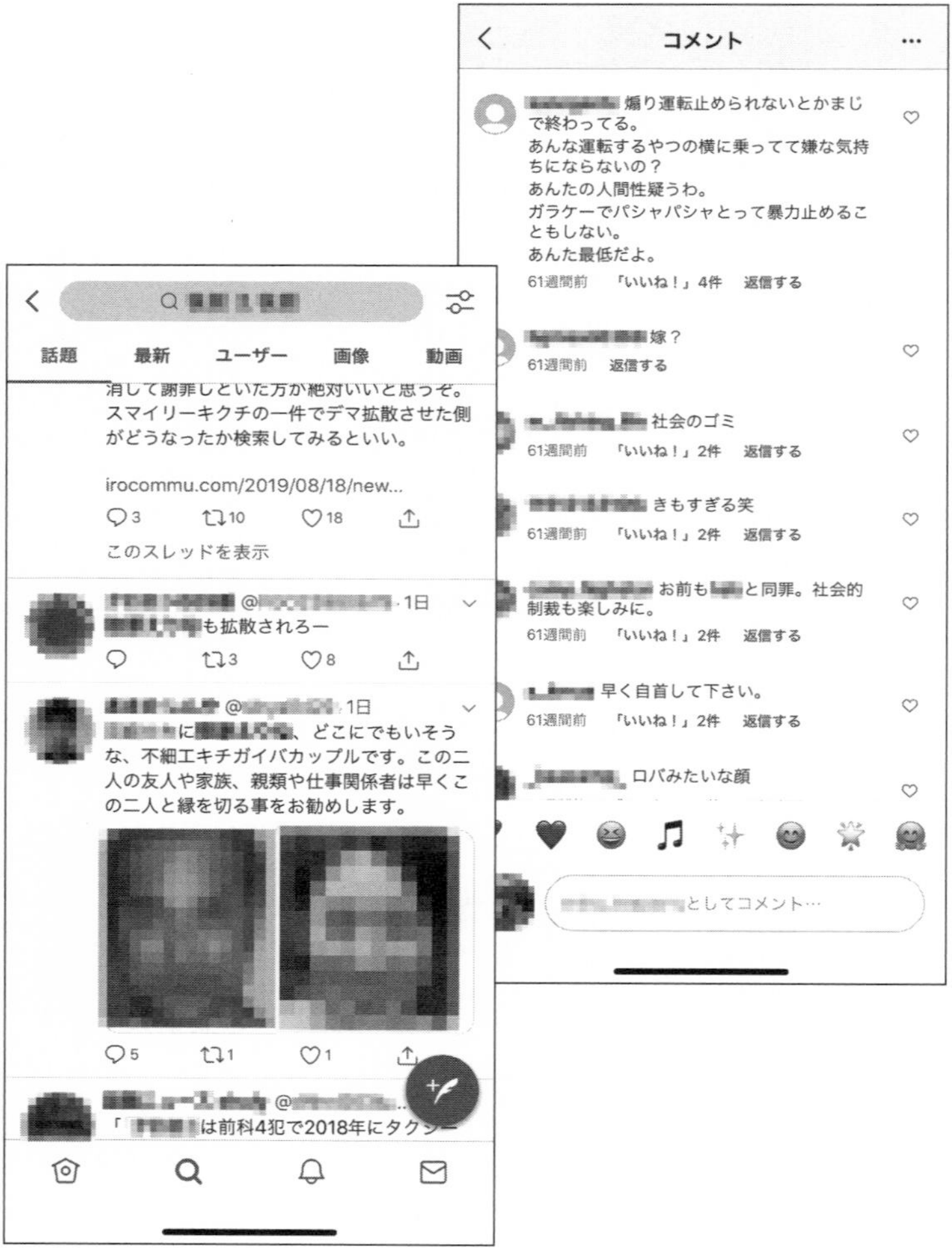
コメント
煽り運転止められないとかまじで終わってる。
あんな運転するやつの横に乗ってて嫌な気持ちにならないの？
あんたの人間性疑うわ。
ガラケーでパシャパシャとって暴力止めることもしない。
あんた最低だよ。
61週間前　「いいね！」4件　返信する
嫁？
61週間前　返信する
社会のゴミ
61週間前　「いいね！」2件　返信する
きもすぎる笑
61週間前　「いいね！」2件　返信する
お前も　と同罪。社会的制裁も楽しみに。
61週間前　「いいね！」2件　返信する
早く自首して下さい。
61週間前　「いいね！」2件　返信する
ロバみたいな顔
としてコメント…
話題　最新　ユーザー　画像　動画
消して謝罪しといた方が絶対いいと思うぞ。
スマイリーキクチの一件でデマ拡散させた側がどうなったか検索してみるといい。
irocommu.com/2019/08/18/new...
3　10　18
このスレッドを表示
@ ・1日
も拡散されろー
3　8
@ ・1日
に　、どこにでもいそうな、不細工キチガイバカップルです。この二人の友人や家族、親類や仕事関係者は早くこの二人と縁を切る事をお勧めします。
5　1　1
「　は前科4犯で2018年にタクシー

客観的に見て、目を覆わんばかりにひどい内容だと思う。後に証拠集めのために何度も、これらの書き込みと向き合うことになるが、そのたびに心が張り裂けそうになった。同じ市民生活を送っている人間、もしかしたら電車で隣に座っていたり、前に立っている人がスマホに向かって、今まさに私に対する中傷を送信しているかもしれないと思うと、強い人間不信に陥りそうになった。

実は、もう何年も前から、このようなネット上の誹謗中傷と闘っている芸能人は数多い。それは、名誉毀損や侮辱罪で裁判になるような事例から、パワハラ、セクハラじみたものもあれば、いわゆる「落書き」的な書き込みまでさまざまだ（第三章に詳述）。

この一件までは、正直、他人事として横目で眺めていたが、実際に体験すると、そうした被害にあわれた芸能人の方々がよく言う、「心が壊死する感覚」とはこういうことなのか、と初めて理解できた。

でも、絶対に私は負けない。

そう心には誓ったものの、実際にどうすればいいのかは、皆目わからなかった。

第二章

初期対応

1節　アドバイスをくれた人々

現状をまったく把握できないままに、増え続ける無差別攻撃を見ていて、「これからどうなるのだろう」と不安がよぎった。

「どれだけ広まるのか」「いつまで続くのか」「どうすればいいのか」「今するべきことは何か」――何ひとつ、分からない。そう、この段階では、「何も分からない」ことがとてつもなく怖かった。友人から、「とりあえずSNSで違うって言った方がいいよ」と言われ、それならばと、まずは実名を名乗っているFacebookに否定のコメントを投稿した（次ページ画像）。

どういう文章を作ればいいのか分からず、たったこれだけの書き込みにも関わらず、投稿するまでに三〇分以上かかった。そして同じ内容をInstagramに

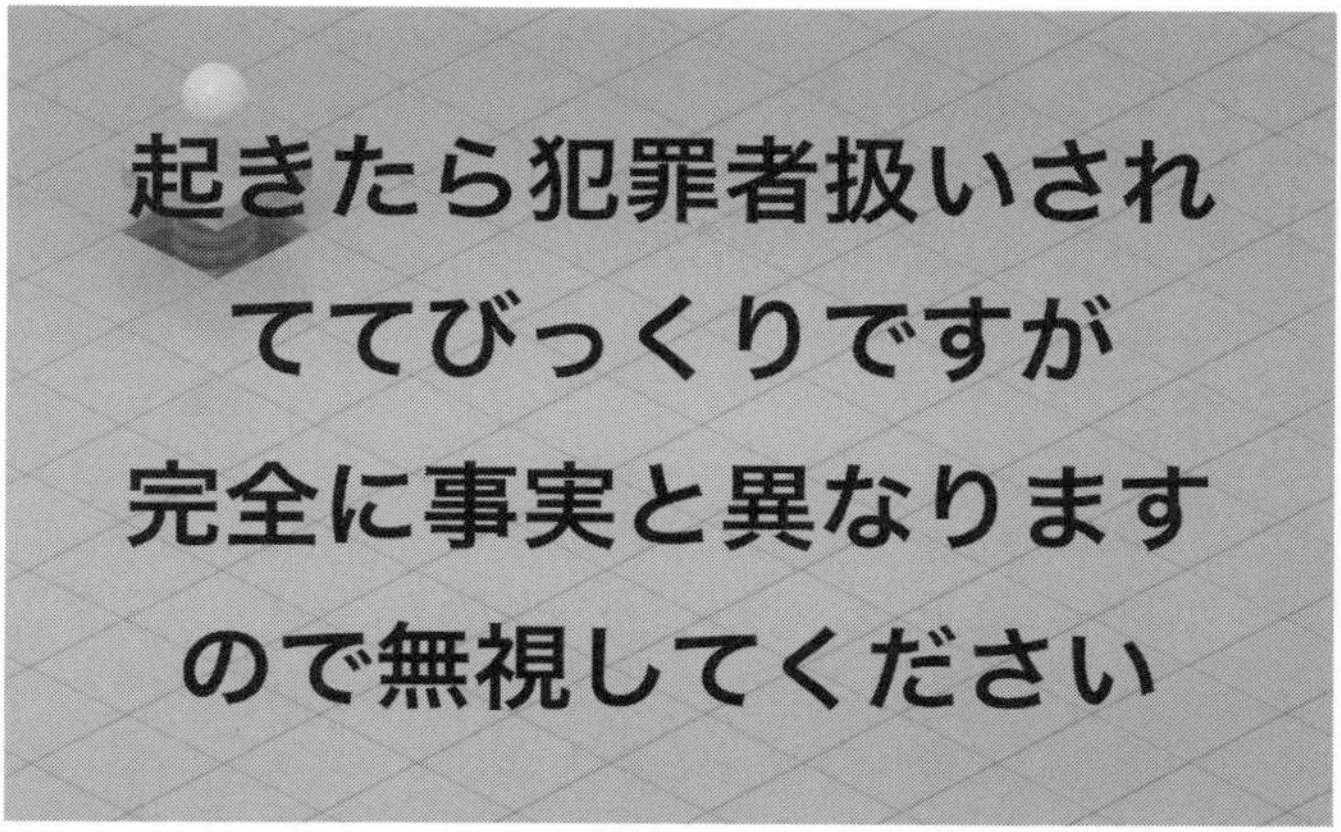
起きたら犯罪者扱いされ
ててびっくりですが
完全に事実と異なります
ので無視してください

Facebook と Instagram に投稿した否定コメント

も投稿した。この時点で、まだ午前八時前だった。

　この投稿に対する反応は、とてつもなく速かった。Facebook上では友人たちの擁護のコメントが相次いだ。「ひどすぎる」と言って私以上に怒っている人がたくさんいて、少しほっとした。

　みんなからは警察に行った方がいい、弁護士に相談するべき、メディアに情報提供するといいなど、たくさんのコメントをもらったが、何から手をつければいいのか、優先順位がまったく、分からない。

この時点で、最初の電話があってから二時間しか経過していない。まだ現状を完全には把握できておらず、しかも「自分の身に降り掛かっている」という実感も薄かったので、警察や弁護士、メディアにどう説明していいのか、よく分からなかったのだ。

このときは、本当にものすごく不安だった。それだけに心配して電話をかけてきてくれた友人たちには、精神的に本当に救われた。心から感謝したい。

2節　反論の機会はないの？

Facebookは実名でのコミュニケーションツールのため、大半がリアルの友人であり、皆、心配してくれたが、InstagramやTwitterは「匿名」のためか、過激な批判がとても多かった。

どうしていいのか分からないなかで、増え続ける誹謗中傷のコメントを、ただ見ていた。怒るとか悲しいという感情は、もちろん、とめどなく湧いてきたが、感覚的に「これ以上、反論しちゃいけない」と思った。

実際、Instagramへの否定コメントの投稿に対して、「そんなヒマがあるなら早く自首しろ」「今さら言い訳してももう遅い」「無実の証明をしてみろ」など、私を犯人だと決めつけて暴言を吐いてくる人がどんどん増えてきた。

ちなみに、この「やっていないという証拠を見せろ」という言い分は、この手の誹謗中傷の書き込みにおける常套句だ。かつて、一〇年間にもわたってネット上の誹謗中傷と闘ってきたスマイリーキクチさん（一〇二ページからの対談記事を参照）の著書「突然、僕は殺人犯にされた」（竹書房）で記載されている書き込みにも、ほとんど同じ言葉がある。書き込んでいる本人は、このデマを真実と信じ込んでいるのだ。実に厄介な書き込みだと思う。

とにかく、Instagramは、Facebook以上に力を入れて更新してきただけに、本心は、むかつくし、言い返したかった。でも、反論したところで解決するはずもなく、火に油を注ぐようなものだということは直感的に感じた。何よりも、見ず知らずの人間に対してギャーギャー騒いでいる、それらの人たちと同じレベルに落ちたくなかったのだ。

本当に、ここはひたすら我慢した。

この段階では誰にも言わなかったが、本当の、本気の、本心は、「私を相手にしたことを後悔させてやる」と思っていた。だから、スマホで読み込みができないほど増えていく誹謗中傷のコメントを、目を背けずに「すべて」読んだ。

一般人だからって舐めるなよ、ＩＴ業界舐めるなよ、という怒りが、そもそもの原動力になったのだと思う。こっちはＩＴの世界でずっと生きてきたんだ。「匿名だから逃げられる」と思っている奴らを即刻、炙り出してやろうとしか思わなかった。

しかし、そうなると今度は、「黙っていないで反論してみろ」とか、「何も言わないってことは犯人確定ですね」などと言われるようになり、もう何がなんだかまったく分からなくなった。

私は、ただひたすら、そうした誹謗中傷のスクショ(※)を撮っていた。後で、この「証拠」が大きな威力を発揮するとは、この時点では思いもしなかった。ただ、「撮っておくべきだ」という思いだけが、私の行動を支配していた。

※スクショ＝スクリーンショット
コンピュータのモニタもしくはその他の視覚出力デバイス上に表示されたものの全体または一部分を写した画像のこと（出典：『ウィキペディア（Wikipedia）』）

3節　弁護士とのファースト・コンタクト

私は、会社を経営していることもあって、友人や知り合いにはさまざまな職業の方がいる。九時頃に、弁護士の友人へ相談のメッセージを送ったところ、即座に折り返しの電話がかかってきた。

「なにこれ？　大丈夫？　その分野に強い弁護士を探すからちょっと待ってて」

とすぐに動いてくれた。この友人には、今も心の底から感謝をしている。後で思い返せば、この相談のメッセージこそが、最初の反撃の狼煙《のろし》だったと思う。

それからすぐに、本当にすぐに、〝その分野に強い弁護士〟をつないでくれた。これが、今に至るもお世話になっている小沢一仁先生である。

小沢一仁氏。インテグラル法律事務所にシニアパートナーとして参加している、三八歳（当時）の若い弁護士だ。さまざまな案件を担当してきた実績を持つが、とくに近年はインターネットの掲示板やＳＮＳにおける誹謗中傷書き込みの削除、発信者情報開示請求に長けた弁護士として、弁護士ドットコムをはじめ、さまざまなメディアにも登場している。

しかし、私はその段階ではもちろん、小沢先生のお名前も存じ上げなかった。そもそも、「ネットに強い弁護士」がこの世に存在していることも知らなかった。

緊張しながら電話をしてみたところ、小沢先生は、私の友人からの知らせを受けて、すでに私の置かれている状況を調べてくれており、今後の対応方法について説明してくれた。

しかし、私自身まだ少しパニック状態だったし、何よりも法律の知識が著しく乏しいため、説明してもらった内容がよく分からず、何度も同じことを聞いた記憶がある。恥ずかしながら、民事事件と刑事事件の違いも、その時点でははっきりとはわからなかったほどだ。

一刻も早く警察に届けを出すべきか、という私の質問に、小沢先生は「警察に行くのもありでしょう」としたうえで、「まずは会社として弁護士の名前を用いて声明文を出した方がいい」と言われた。そして、それは「可能な限り早い方がいい」と言う。

ここにきて、やっとやるべきことが見つかったような気がした。私は少し冷静さを取り戻して、「声明文って何ですか?」と聞いたら、親切に説明してくれた。

声明文とは、間違った情報が流れたことに対する、デマを否定する「正式な文書」であり、個人ではなく会社として出すが、弁護士の名前で出すことで信憑性が高まる。内容については、①事実無根であること、②虚偽の情報を広めることは罪になること、③法的措置を検討すること、を記載した方が良いというものであった。

ただ私はこのとき、まだ「そんなに事を大きくしたくない」という思いが強く、躊躇したのを覚えている。できれば、私の名前も、会社の名前もこうしたことで広めたくなかった。

さらに、声明文を出すことはともかく、その後にかかる費用が未知数で、即決できなかった。ここは少し考える時間が欲しいと、いったん保留にしてもらい、電話を切った。そしてすぐに、最寄りの警察署へ向かった。

第4節　警察署での四時間

お盆の昼間だったせいか、都内の警察署はとても閑散としていた。数人で談笑している警察官のところへ行き、何を言っていいのか分からないまま、「あおり運転の同乗者に間違われてネット上でもの凄い誹謗中傷を受けてるんですけど……」と言った記憶がある。

当然、返ってきた言葉は「え？　何？」である。

「私自身もよく分かっていなくて……ただ、常磐道のあおり運転で昨日、指名手配になった人の同乗者に勘違いされて、今朝からずっと電話が鳴っていて、ネット上でもの凄く叩かれていて、でも私、まったく関係ないんです！」となかば叫ぶように訴えた。

警察官の一人が、「えー、そんなことある？」って言った。

あるからここに来たんだよ。

次々と「あれでしょ？　あのボコボコにしてたやつ」「同乗の女ってあの携帯で

写真撮ってた人？」「誹謗中傷って、なんて書かれてるの？」と聞いてきたが、私としてはのんびり立ち話している場合じゃない！　という気持ちがむくむくと湧いて、「あっ、やっぱり警察はダメか」と思った。

近所の警察署に行ったところでサイバー捜査課があるわけではなく、街の安全を守っているお巡りさんに聞いたところで何も解決しないのか、と思ったのだ。でも、そのなかの一人から、「ちょっと、担当の人を呼んでくるから待ってて」と言われ、かすかに期待が膨らんだ

次は、個室へ通された。後でわかったのが、この方は生活安全課の警察官だったらしい。二人来て挨拶し、私は再び、今朝、起床してからの出来事を説明した。

私のスマホで友人が送ってくれたまとめブログのサイトや、Instagramのコメントを見せたり、警察官のスマホでTwitterを見たり、実際に何が書かれているかの確認作業のような感じだった。

しばらく、いろいろなサイトを見ながら、「うわぁ、こんなこと書くの？」「これひどいな」「こいつらバカだなぁ」「こいつら暇だなぁ」「何これ、全然関係ないじゃん」などの感想が漏れる。途中、何枚か証拠として残すのか、デジカメで写真を撮っていた。

また、その間も何度か私の電話が鳴り、見知らぬ番号や非通知からだと警察官の方が出てくれたのだが、すべて無言ですぐに切れた。電話をかけてきた人は一体、何がしたかったのだろう。予想外に、男の人が出たことで、文句をいう度胸が一気に消え失せたのだろうか。

その警察署には結局、四時間くらい、いたのではないだろうか。最終的に言われたのは、「もう指名手配がかかってるし、すぐに捕まる。そうしたら違うって分かるから放っておいた方がいい」「こんな暇な連中の相手しない方がいい」「大ごとにしない方がいい」というものだった。

結局、何ひとつ、解決していない。たくさんの誹謗中傷コメントに対する野次を聞いただけのようなものだった。帰り際、「相談に来られたという記録は残しておきますから」と見送られた。四時間もいて、この結果なのかと愕然とした。

いま振り返ってみると、個人に対する誹謗中傷の案件に対して警察署に行くべきだったのかは、疑問が残る。小沢先生が「行くのもあり」というくらいの表現にとどめた理由もなんとなくわかる。結論だけ言ってしまえば、時間の無駄に近かったとは思う。後日、刑事告訴の準備をすることになり再び警察署へ訪れたのだが、このときは事前に小沢先生から警察署へ連絡をしていただいており、生活安全課ではなく、刑事課の刑事さんが対応してくれた。前回の調書と比較していたから、もしかすると最初に行っておいたことは多少の意味があったのかもしれない。

とはいえ、このときも最初から同じ話をしたので、時間だけ考えれば無駄に近かった。パニックになっている状況で警察署へ行くというのは、「何かしなきゃ」と思っている状態における安心材料程度だな、と今なら冷静に振り返ることができる。ただ、一般市民としては、「その程度」なのは寂しい限りだ。

5節 「声明文」で反撃開始

家に帰ってから、また状況の確認をしてみる。それぞれのSNSやWebサイトを見てみると、警察署にいた四時間の間に、コメントの種類が少し、変わっていた。私に対する攻撃しかなかった午前中に比べ、「もしかしたら人違いかもしれない」というコメントが増えていたのだ。

すると夕方、小沢先生から、「流れが変わってきているので、声明文を早く出した方がいい」と連絡をいただいた。小沢先生は、私が警察に行っていた間も、ネットの書き込みをチェックしてくれていたのだろう。

結局、お願いすることにした。声明文を出すことで、この後どう進んでいくのか、まったく想像はできなかったから、まだまだ不安でしかなかった。それでも、日付が変わった深夜、会社のホームページ上に、小沢先生が用意した声明文を出した。全文を掲載する。

令和元年八月一八日

インテグラル法律事務所所属
●●●●株式会社、○○代理人弁護士　小沢一仁

当職は、●●●●株式会社（以下「当社」といいます。）及び当社代表者○○（以下○○といいます。）の代理人として、近時報道されている、茨城県守谷市の常磐自動車道で発生した、あおり運転暴行事件（以下「本件事件」といいます。）に関する情報に触れた皆様方に対し、以下のとおり告知します。

さて、本件事件につきましては令和元年八月一六日、所轄警察署が、被害者に対しあおり運転ないし暴行をした男性（以下「男性被疑者」といいます。）に対する逮捕状を請求したとの報道がされました。また、その後指名手配もされたことから、男性被疑者の氏名も公表されました。その際、男性被疑者とともに車に同乗していた女性（以下「女性被疑者」といいます。）については、一部で逮捕状が請求されたとの報道はあ

りましたが、指名手配はされず、氏名の公表もされなかったことから、インターネット上で女性被疑者が誰かにつき大きな関心が持たれました。

すると、翌同月一七日の早朝までの間に、匿名掲示板「5ちゃんねる」やSNSサイト「Twitter」などにおいて、同乗していた女性が○○であるとの情報が公開され、これが直ちにインターネット上で広まりました。その結果、一時は○○の氏名がTwitterのトレンドに表示されるなどしました。

しかしながら、当該情報は全く事実無根のものです。○○は同月一七日午前に、知人から本件事件に関するまとめサイトの存在を知らされるなどして女性被疑者として自身の名前が挙がっていることを知りましたが、心当たりが全くなく、なぜこのような状況に陥っているのか理解できず、現在においても強く困惑しています。

また、同月一七日午前から、当該情報に触れたと思われる人物からの電話が当社に殺到しており、業務に必要な電話を取ることができず、無用な電話がかかってくることを防止するために当社ホームページの一部を非公開にせざるを得なくなるなどの業務上の支障が生じています。

そして、当該情報は当社及び○○の名誉権を著しく侵害するものです。なお、女性被疑者が○○であることを積極的に発信する記事を投稿することのみならず、これを引用して広める行為（リツイートを含みます。）も、当社及び○○の名誉権を侵害する行為にあたる可能性があるものですから、その旨を付言します。

以上の状況を踏まえ、当社及び○○は当職と協議の上、虚偽の情報を広めている者に対し法的措置を取ることを検討しています。

本件事件については、女性被疑者が○○であるとされた根拠として、男性被疑者が○○のInstagramのアカウントをフォローしていること、本件事件当時女性被疑者が身につけていた帽子、サングラス、洋服が、Instagramにアップロードした自身の写真で○○が身につけていたものと似ていること、帽子やサングラスを付けている状態の女性被疑者と○○の顔が似ていることが挙げられているようです。しかし、根拠として極めて薄弱なものと言わざるを得ません。

このような極めて薄弱な根拠でもって、社会的関心の高い刑事事件の被疑者であると安易に断定し、伝播性の高い5ちゃんねるやTwitter等で公表し、これを信じた膨大な数の人たちからの事実無根の誹謗中傷を招き、事件とは全く無関係の人が極めて大きい社会生活上の不利益を被ってしまう現在の風潮は、非常に危険なものと考えます。

インターネットを利用される皆様方におかれましては、本件事件について、是非とも根拠の不明確な情報に惑わされないよう、ご留意くださいますようお願いします。また、既に女性被疑者が○○であるとの記事を公表された方におかれましては、訂正記事を投稿して頂きたくお願いします。

以上

そして、その日のうちに、指名手配されていた容疑者と同乗していた女性、つまり本物のガラケー女も判明したことで、いったん、状況は収束に向かった。

後で言われた意見が、「もし、私が例えば普通の主婦だったら、どこにも声明文なんて出せないので、経営者でラッキーだったのではないか」ということだ。しかし、もし普通の主婦だったら、こんなに個人情報が流されたり、関係ない批判を浴びたりしただろうか。主婦と経営者では、公開されている個人情報の内容と質が違う。私は、ガラケー女からはじまったデマだけでなく、「詐欺師」とまで言われた。経営者だからこそ、声明文を出さざるを得なかったのだ、と私は思う。

経営者だったメリットというより、「ツキ」があったとすれば、小沢先生を紹介してくれた弁護士の友人がいた、ということだろう。そこが、例えば自ら積極的にメディアに登場し、反論の陣を張らざるを得なかった、東名高速事件で

デマの被害者となった石橋秀文社長との違いだと思う。（二章末の対談を参照）

以下は、小沢先生を紹介してくれた弁護士の友人からのメッセージだ。

さはらさんからメッセージもらう前に、Facebookの投稿はタイムラインで見てました。見た瞬間に、「大変だ！　まさかこんな身近な人が被害に遭うとは」と思いました。

コメント欄にも目を通したところ、何名かが警察とか弁護士会の人権救済の話をしていました。私は、「警察も弁護士会の人権救済の申立ても、現時点の対応策として違うだろう」と思ったものの、普段からFacebook投稿にコメントをつけることもしていなかったので、そこでは黙っていました。

警察は、具体的な被害が発生しないとなかなか動かないだろうし、弁護士会の人権救済申立ても迅速な対応をする組織ではありません。

そうしたところ、間もなくさはらさんからメッセージをいただいたというわけです。
ＳＮＳの風評被害に対応する弁護士に相談するのが一番だろう、ということで、真っ先に小沢くんの顔が浮かんでいたものの、土曜朝でもあったので、小沢くんも入っている同期弁護士のFacebookグループに「至急！　ＳＮＳ風評被害への対応依頼」と投稿して小沢くんのレスを期待したところ数分後にレスがあったという次第です。

その後の帰結を考えると、このお二人の「素早い反応」がなければ、私ももっともっと、袋小路にはまってしまっていただろう。本当に、この点はツキがあったと思うし、心底、お二人には感謝している。

繰り返すようだが、いったん、風評被害がはじまったら、個人の力ではどうしようもない。それは主婦だろうが、経営者だろうが、芸能人だろうが、同じだ。私と同じように苦しんで、闘っている方々もいれば、残念ながら、耐えられず自らの命を絶つ人までいる。たぶん、じっと我慢して泣き寝入りしている人は、もっと多い。

自分の何気ない書き込み、クリック（タップ）ひとつが、他人をそこまで追い込むことを、ネットを使うすべての人々にわかってほしいと心から願う。

〈身に覚えのない誹謗中傷に晒されたときのポイント〉

- ネット上の誹謗中傷に、同じネットで反論しない
- スクリーンショットを漏れなく撮っておく（証拠を残す）
- 一刻も早く、弁護士に相談する（ネット関連事案に強い弁護士を探す）
  ※法テラスなども活用できるのでまずは問い合わせてみる
- 警察署へ行くのは単なる相談程度と思ったほうがいい（過度な期待を持たない）

対談

共通項は「あおり運転事件」
人違いで奪われた平穏な人生を取り返す闘い

あおり運転事件が契機で「人違いのデマ」に巻き込まれ、平穏な暮らしが一変した人は、私一人ではない。死亡事故を引き起こした容疑者の父親と名指しされたのが、北九州の建設会社の経営者、石橋秀文社長だ。容疑者がたまたま建設作業員で、たまたま名字が一緒で、たまたま居住地が近くだったという偶然をネット民に掘り起こされたうえに、「容疑者は離婚した前妻の息子」というでっちあげのストーリーを拡散された。石橋社長もまた、刑事・民事告訴で係争中だ。二〇二〇年八月のある日、ほんの軽い気持ちで事実かどうかわからない情報を拡散する「罪」について話し合った。

さはら　石橋社長が巻き込まれた事件の経緯を少し、お話いただけますか?

石橋　二〇一七年の六月に東名高速で死亡事故が発生しました。あおり運転でその原因を作った加害者と私がたまたま同じ姓で、住んでいたところが近く、かつ職業が建設作業員だったという偶然が重なり、それがネット民に掘り起こされた結果、私が加害者の父親というデマを流されたのです。逮捕されたのが同年一〇月一〇日の火曜日でした。着信履歴を見返すと、その日の夜には会社に誹謗中傷の電話が入りはじめています。翌日の朝からは電話が鳴りっぱなしで仕事になりませんでしたね。

さはら　すぐに警察に相談されたのですか?

石橋　はい。その週末のうちに行きました。ただ、最初はパトロールを強化してもらいたくて相談したのです。というのも、不審車両がうろつきはじめて、恐怖を感じたので。名誉毀損と偽計業務妨害で被害届を出したのはその週明けですね。

さはら　石橋さんの会社はホームページは開設していなかったんですよね？　どうやって電話番号や住所などが広がったんでしょう？

石橋　たぶん、最初は電話帳みたいなものが検索されたのだと思います。犯人の名前、居住地、職業を検索すれば、会社の名前はすぐにヒットするし、電話番号と会社の住所くらいはわかります。でも、すぐに自宅の住所や役員の名前までネットで晒されはじめたのです。これはおかしいと思ったら、どうやら法務局で登記簿謄本を取られたらしいことがわかりました。

さはら　本当に?!　そこまでされたのですか！

石橋　電話帳だけでは、自宅住所も役員の名前もわからないはずです。ホームページもないですから、それ以外に知る方法はないと思い、法務局に出向いて問い合わせたところ、どうやら（謄本を）取られた痕跡があったとのことでした。今の時代はインターネットで登記は簡単に入手できます。しかも、さはらさんも経営者なのでおわかりとは思いますが、登記簿謄本は第三者でも取得できます。取得する際は収入印紙が必要で、一応、名前と住所は書かされますが本人確認はしません。だから、嘘を書いても簡単に手に入るんですよ。

さはら　制度にも欠陥があると思いますが、そこまでする執着心というか歪んだ執念にびっくりしますね。

襲撃予告でもダメ?!　動いてくれない警察

さはら　警察の対応はいかがでしたか?

石橋　まずは生活安全課で相談し、その後、たぶん刑事課に通されましたね。

さはら　私とほとんど同じですね。すぐに親身に聞いていただけたのですか？

石橋　まったく（苦笑）。まず聞かれたのは、「何か具体的な被害があったのですか？」ということでした。例えば窓ガラスが割られたとか、落書きされたとかそういうことです。電話が鳴りっぱなしで仕事にならない、襲撃予告まで書き込まれていると言ってもダメでした。結局、実被害がないと動いてもらえないんだな、と感じたのは強く記憶に残っています。何かあってからじゃ遅いです、とは言いましたけど、その段階では動いてくれる感じはしなかったですね。なにせ、被害届も出せなかったんですよ。その段階では「捜査はするから、被害届は相手がわかってから出しても遅くない」と言われたもので。でも、周囲から「絶対に出したほうがいい、出さないと捜査もしてくれないから」と意見されて、すぐに届けを出しに再訪しました。

さはら　動いてくれない、という意味では、私とほとんど似たようなものですね。私は、「とにかく放っときなさい」としか言われませんでしたから。

石橋　さはらさんの場合、顔写真が拡散されましたから、あれは怖いな、と思っていました。私の場合、会社の外観は晒されましたけど、私を含めて家族や社員の顔は出ませんでしたから。

さはら　でも、不審車両は私のケースではなかったです。それにしても、警察の対応は、一回目はほとんど門前払いという点では、私と同じです。これは本当に何とかしてもらいたいですね。

「訴えられたから謝る」は謝罪とは言えない

さはら　結局、何人が刑事告訴されたのですか?

石橋　警察の捜査では当初、二〇〇人くらい疑われる被疑者が確認できている、と言われたんですが、書類送検されたのは一一人でした。警察は、基本的に「真っ黒」じゃないと送検しないんですよね。だからグレーゾーンの書き込みについては刑事事件にするのは難しいことがよくわかりました。

さはら　そうなんですね。誹謗中傷した人をできるだけ多く訴訟するには、刑事だけでなく民事で訴える手続きが必要ということかもしれませんね。石橋さんは、証拠としてはどんなものを提出したんですか?

石橋　誹謗中傷が書き込まれたスクリーンショット、不審車両の写真、それと非通知ではない電話番号です。ただ、証拠として機能したのはスクリーンショットだけですね。電話番号は、その番号が本当に誹謗中傷してきた相手なのか、内容とひも付けができないので証拠としては難しい、と言われました。だから、業務妨害になるほどかけてきた電話の相手が、送検された一一人に入っているかどうかは、結局わからないんですよ。

さはら　私のところにかかってきた電話はほぼ非通知でしたが、そうではないものも結構、あったのですか？

石橋　最初は非通知が多かったですね。それに私たちが非通知拒否や電話に出なくなったら、今度は携帯電話番号が通知されるケースが増えました。電話番号を晒してまでかけてくるのですから、「自分は絶対に正しいことをしている」という気持ちが強いんだと思います。

さはら　書類送検されたのはどのくらい経ってからなんですか？

石橋　二〇一七年の一二月に、容疑者の家宅捜索が行われ、パソコンなどが押収されたと聞いています。書類送検されたのは翌年の三月だったと記憶しています。

さはら　例えばスマイリーキクチさんのケースとかと比べると、かなり早い印象ですね。

石橋　そうですね。名誉毀損は時効が三年と早いので、かなり迅速に動いてくれたのかな、と思っています。

さはら　ただ、全員不起訴という結果がいったん、出ましたよね。それについてはどう思われましたか？

石橋　まったく納得していません。だから全員、検察審査会に訴えたのです。検察審査会は二回、開かれるんですが、亡くなった被疑者と和解し示談に応じた被疑者の二名を除き、全員起訴相当と出ました。ただ、検察は三名を再び不起訴としたので、二回目の審査が進み、今年（二〇二〇年）七月に一名が起訴相当になりました。

さはら　徹底的にやる、ということですね。一人でも謝罪はありました？

石橋　訴えられたから謝る、という人はいましたが、私としてはそれは謝罪ではないと思います。それに多くは、それすらありません。謝罪はしない、でも悪いことをしたとは思っている。これが彼らの言い分ですが、被害者としては到底、納得いくものではありません。じゃあ、こちらとしては納得するまで徹底的にやりましょう、というところです。民事訴訟も八件、進行していますが、本来、民事で和解したからといって刑事で不起訴になるというのは、おかしいと思っています。犯した罪は罪として償ってほしい。それと民事裁判での私に対する賠償は別の問題です。世間全般的に、「不起訴＝無罪」という印象が強いと思いますが、それは間違っています。不起訴は、起訴相当ではないというだけで、罪は罪ですから。

安すぎる慰謝料、「相場」を引き上げたい

さはら　民事訴訟の状況はどうですか？

石橋　現在、八件ほど動いています。慰謝料は一人一一〇万円で請

求していいます。この金額も過去の事例などを調べてはじき出しました。さはらさんにお聞きしたかったのですが、先般の元市議会議員を訴えた民事裁判で、三三万円という判決が出たじゃないですか。あれでは、正直、弁護士費用にも充当できないのでは？

さはら　私は、（弁護士の）先生から事前にこのケースなら、これまでの相場として二〇～三〇万円くらいだと思う、と言われていたので、予想通りだな、という感想です。もちろん、体験したことに見合う金額かと言うと、そんなことはありませんが、お金だけが目的で訴訟したわけではありませんし、一石を投じたという意味はあったと思っています。それと、この元市議会議員の方は、他のTwitterやInstagramでの誹謗中傷の書き込みとは違い、実名でFacebookのフォロワーに対してデマを拡散した、いわば「リツイート」のようなものです。三三万円は、リツイートやシェアに対する賠償の相場と理解したいと思います。この方とも和解案はあったのですが、一連の対応に誠実さが感じられず、どうしても和解する気になれなかったので民事で訴えたというのが正直なところです。

石橋　なるほど。訴訟準備している他の一〇〇人とはまた事情が違うということですね。私は今回、民事による請求も和解金も、「最低一〇〇万円」を目安に設定しました。これ以上、譲歩する気はまったくありません。そもそも日本は、名誉毀損の賠償金、慰謝料が低すぎます。これだけネットでの誹謗中傷が頻繁に起こる以上、相場を引き上げないと抑止力にならないと考えています。

さはら　相場を上げないといけない、というのは私も弁護士の先生も同じ見解です。私たちの事例が、そのきっかけになればいいと思います。

架空のストーリーが拡散される恐怖と怒り

さはら　いろんな書き込みをされたかと思いますが、「これは許せない」と感じたのはどんな内容ですか。

石橋　ほとんど全部なんですが（苦笑）、これはダメだろ、というのは、架空の話をでっち上げられたことですね。一例をあげましょうか。私の年齢と容疑者の年齢は二二歳、違います。これだけなら親子であってもおかしくはないのですが、妻は私より九歳、年下です。ですから妻の子供であるわけはない。そこで作られたストーリーが、私に離婚歴があって、容疑者はその前妻の子供だというものでした。最低の人間だ、せめて亡くなられた被害者の遺族の方に会社をつぶしてでも慰謝料を払えなど、嘘に嘘が重なって、正義感ぶったデマが独り歩きしていく。こうした書き込みはやはり許せませんでした。

さはら　私も、民事訴訟の対象はデマだけに絞りました。容姿に対する中傷も本当に頭にきましたが、きりがないんですよね。だから、「こいつがガラケー女だから拡散しよう、徹底的に叩こう」みたいな書き込みだけを対象にしました。

石橋　それに結局、すべてのサイトを対象にすることは不可能ですからね。被害者の目についたサイトの書き込みだけを対象とせざるを得ません。だから、私にせよ、さはらさんにせよ、たぶん、まったく目につかないところで誹謗中傷されていたことはあるだろうな、と思っています。

さはら　本当に、ありもしない話を捏造して拡散するパワーというのがどこから湧いてくるのか、今でも不思議です。

難しい火消し、大きかった「テレビ」の影響力

石橋　さはらさんは、すぐに弁護士をつけて、声明文を出されましたよね。あの対応はすごいな、と思いました。"火消し"って本当に難しいですから。

さはら　石橋社長は、どうされたんでしたっけ？

石橋　私はホームページを開設していないので、今にして思えばまずいことに、書き込まれていたサイトに「これは事実ではない、人違いです」って反論しちゃったんです。結局、その反論がさらに炎上を呼んでしまいました。後でいろんな方に、こういう場合、反論しちゃ絶対にダメだと言われました。さはらさんは声明文以外では何かされましたか？

さはら　Facebook と Instagram のタイムラインには、やはり「事実

ではない」と書き込みました。Facebookは心配させてしまった友人が多かったですし。ただ、Instagramは石橋社長同様、火に油を注いだだけでしたね。「違うという証明をしてみろ」という書き込みが増えただけでした。結局、その後は何もせずに、ただひたすら誹謗中傷のスクリーンショットを撮っていました。

石橋　すぐに記者会見も開かれましたしね。あれは大きい火消し効果だったと思います。

さはら　石橋社長は記者会見は？

石橋　しませんでした。その代わり、メディアの取材はすべて受けるつもりで、実際に新聞や雑誌、テレビなどかなりの数の取材を受けました。結果、一二月にはほぼ沈静化しました。

さはら　ネット以外のメディアを使ってデマ拡散を防いだ、ということですね。私も記者会見がニュースで流れてから「あれはデマだった」と拡散しましたから、やはりテレビの影響は大きいと思います。

ビジネスへの影響はいかがでしたか?

石橋　同業他社や顧客、社員の家族などに、積極的に「あれは間違いだからね」と言ってまわりました。とくにお客様が大企業のことが多いので、そこはすぐに火消しに入らないと大きな影響が出かねないと思い、すぐに東京や大阪に出向いて説明しました。ネットのデマを防ぐよりも、そっちを優先しましたね。結果、仕事が止まったことはなかったです。ただ、新規案件については、ややネガティブなイメージがついてしまったことは否定できないです。今後はその点が少し、心配です。

「自分も被害者」という加害者が多すぎる

さはら　今年(二〇二〇年)に入ってから、ネットでのデマ拡散が契機となった事件が頻繁に発生していますす。どう捉えていますか？

石橋　ほとんどの事案でそうだと思うのですが、加害者が自分のことを加害者と思ってないんですよね。私も騙された、書いてある文章をコピペ（コピー＆ペースト）しただけで、本当は被害者なんだと思っている。でも、それはどう考えても間違いで、たとえコピペでもリツイートでも、発信した時点で最初に書き込んだ人間と同等の責任が発生するという認識を持ってもらいたいと思います。もちろん匿名でも、発信した責任は絶対にあります。

さはら　近隣の方々の評判に影響とかはなかったのでしょうか？地方の場合、ビジネスの相手とプライベートの相手は同じだったりするので、リアルのお付き合いへの影響などは？

石橋　逆によく知っている間だけに、すぐにデマだとわかってくれました。むしろ、心強かったですね。

さはら　なるほど。二〇二〇年は地方でも都市圏でも、コロナ禍の影響でのデマ被害が増えていますね。感染源でもないのにそう書き込まれたお店があったり。

石橋　本当に寂しい話だなと思います。感染源に関するデマもそうですが、感染した方が悪いとか、そういう見方で書き込むのはやめてもらいたいです。それと繰り返しますが、SNSに書き込むのも、安易にコピペやリツイートしないで、ちゃんと調べてから発信してほしい。噂話程度の書き込みにすぐ反応しちゃうのはどうなのかな、と思います。

さはら　ネット上にいる「特定班」やトレンドブログの管理者とかは、確認したうえでやっているわけではないですからね。そこは本当に同意見です。

石橋　ネット民は大勢でやってきますから、一人ひとりが、責任の所在を軽く考えている気がします。例えば、一〇〇人がリツイートしたり書き込んだことに対する慰謝料が一〇〇万円だとしたら、「一人一万円でいいんだろ?」と思っているフシがあります。そうではなくて、あくまでその書き込みやリツイートは一人の責任によるものだと認識してもらいたいと思います。

さはら　本当に同意することばかりです。今日はありがとうございました。お互い、まだ先は長いと思いますが少しでも誹謗中傷がなくなる、あるいは被害者が泣き寝入りしないですむ環境になる世の中になればいいと思います。

第三章

反撃の狼煙

1節　「ネットに強い弁護士」と対面

週明け月曜日。一斉にメディアが動いた。

「ネット上であおり運転の同乗者に間違われた女性がいること」、すでに「その女性が経営する会社のホームページで、まったくの事実誤認である旨の声明文を掲載していること」「デマ情報を流した人に対して法的措置を検討していること」が、おそらくすべてのキー局で放送された。

さまざまなコメンテーターの方が、デマ拡散から声明文掲載までの対応の速さを褒めてくれた。もちろん、私がどうこうしたわけではなくて、すべて弁護士の小沢先生のおかげである。感謝するとともに「やっぱりプロってすごいな」と、素人丸出しの感想を抱いた。当然だが、これまでにこんな経験はしたことがないから、この対応が早いかどうかも分かっていなかったのだ。

声明文を出したことで、代理人弁護士の名前も世間に明らかとなった。小沢先生のことは、法曹界に通じている方のなかでも、知っている人もいれば知らない人もいたようだ。

なかには、年齢的にまだ若いと、小沢先生を批判する声も聞こえてきた。

知り合いや友人からも、「あの弁護士はよくない」「他の弁護士を紹介してあげる」などと言われたりもした。おそらくは親切心からなのだろうが、ここ数日間の「いわれのない批判」に疲れている私に対して、たとえ親切心からといえども、「批判」をしてくる人たちが嫌でしょうがなかった。じゃあ、その他の弁護士の先生は、こんなに迅速に対応してくれましたか？　と言いたかった。

それから三日後。初めて弁護士事務所を訪れ、小沢先生に会った。

とても清潔感にあふれたきれいな事務所で、緊張はしていたけど、それだけで少しホッとした。小沢先生もソフトな印象で、何をすればいいのかまったくわからなかった私にとって、ようやく出会えた救世主のような気がして、一気に安心した記憶が残っている。

小沢先生は、まず優しい口調で「大変でしたね、本当にひどいですね」と寄り添いの言葉をかけてくれた。そして、声明文の反響やメディアの取材が来ていること、記者会見の要望があることなどを話された。

この日のお話は、声明文に記載した「法的措置」についての説明が中心だった。匿名の投稿者を特定するためには、Twitter社やFacebook社に対して「発信者情報開示請求」の訴訟を行い、勝訴した場合に、その後開示されたＩＰアドレスからアクセスプロバイダを割り出し、個人を特定して「損害賠償請求」をする必要がある、といった民事訴訟を行う場合のプロセスについて説明してくれた。

詳細は第五章末の小沢先生へのインタビューを参照してほしいが、ここに記した図版はあくまで簡略化した流れで、実際はとてつもなく煩雑な手続きが必要となる。このときも、ある程度の説明はあったが、正直あまり、記憶には残っていない。私自身は、この後、何度も何度も印鑑証明を発行し、小沢先生に渡す過程でその煩雑さをある程度、理解できたが、とても一般人が自力でどうこうできるものではない。

もし、民事で進めるなら当然、お金がかかるわけで、弁護士費用の着手金と報酬金の他、Twitter社・Facebook社に対する各種証明書や申立書の作成・翻訳料、各種裁判手続き申立費用、仮処分担保金など、

図1　賠償請求(民事訴訟)までの流れ

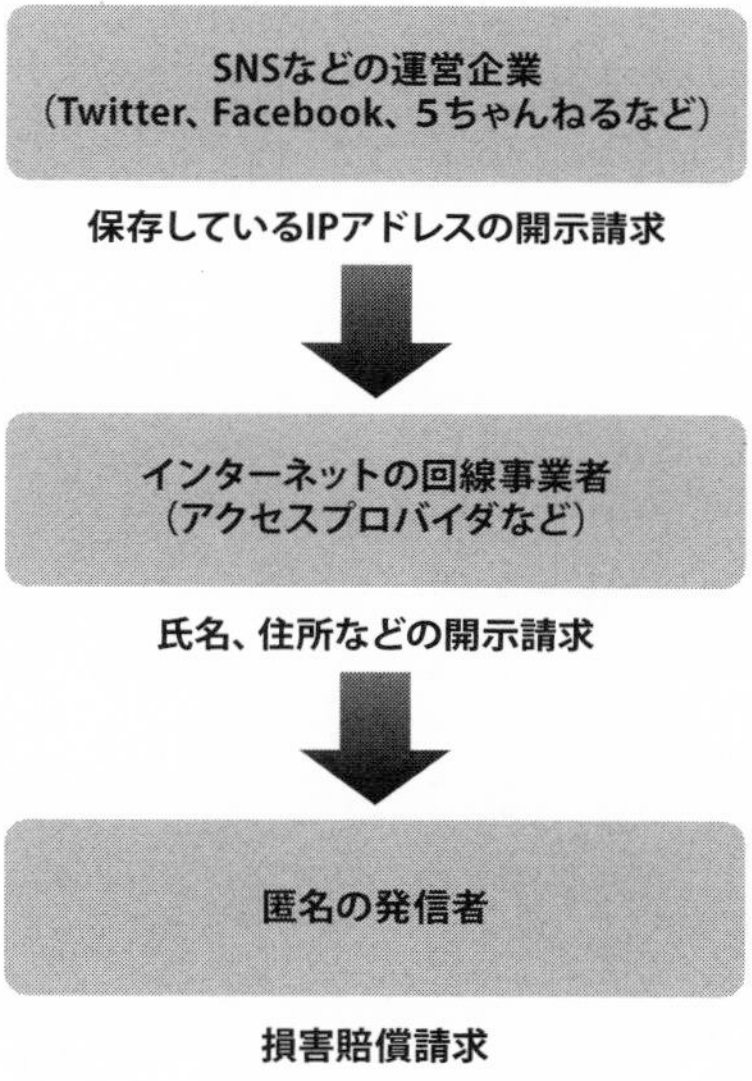
SNSなどの運営企業
(Twitter、Facebook、5ちゃんねるなど)
保存しているIPアドレスの開示請求
インターネットの回線事業者
(アクセスプロバイダなど)
氏名、住所などの開示請求
匿名の発信者
損害賠償請求

相当のお金が必要になってくることも説明を受けた。

正直、専門用語ばかりで、この先に進むとどれだけのことが待ち受けているのか簡単には想像できなかったが、話を聞いているうちに、好き放題言っている匿名の投稿者に対して、「個人を特定したい」と強く思い、契約書を交わすことを選んだ。

人は誰でも失敗したり、過ちを犯すことがある。それでも、知らなかったからこそ犯した過ちならば、きちんと知る必要があるだろう。「匿名だから大丈夫だ」と思っているのであれば、インターネットにおける匿名はもはや匿名ではないということを知らせなくてはいけないと思った。同時に、この先「きっとまた叩かれるんだろうな」という覚悟を背負った気がする。

明確に覚えているのはこのくらいだ。さらに、これからどうやって進めていくかを話し合った。メディアの取材依頼にどう対応するか、記者会見を検討するか……などなど、いろいろ話した気がする。でも、正直、あまり覚えていない。

帰り道にちょっとした段差で思いっきり転倒し、足首がげんこつほどのコブのように腫れ上がってしまった。気丈に振舞っていたつもりだったが、「精神的にけっこうやられているな」と感じた瞬間だった。

2節　過去の事例に見る「法的措置」の高い壁

前章でも触れたが、「あおり運転」に関連する人違いは、私以外にも発生している。
二〇一七年六月、東名高速であおり運転に巻き込まれたあげく、あおられた側の夫婦二人が死亡した、痛ましい事故があった。この時、逮捕された被告が福岡県の建設会社で働いていたことから、同じ名字というだけでまったく関係のない「石橋建設工業」という会社が中傷の嵐に晒された。同社の石橋秀文社長が、被告の父親としてネットで拡散されたのだ。

具体的には、「被告の親が経営する会社」というデマの拡散によって、ネット上だけにとどまらず、連日、脅迫電話が続き、大きな業務妨害となった。石橋社長は、即座に被害届を提出し、刑事告訴した。その後、一一人が名誉毀損の疑いで書類送検され、不起訴処分になっている。石橋社長は検察審査会に訴えを起こし、結局、強制起訴の判断がくだされている。現在は民事訴訟も進行中だ。石橋社長もまた、ネット社会との長く苦しい闘いを強いられている。（六〇ページからの対談を参照）

ちなみに、名誉毀損や侮辱罪は、「親告罪」である。刑事裁判で、検察官が公訴を起こす際、被害者の告訴があることが必要で、ストーカ規制法違反や親族間の窃盗罪、詐欺罪や軽微とされる犯罪（過失傷害罪、器物損壊罪など）もそれにあたる。ネットにおける誹謗中傷は、実はなかなか起訴されない。石橋社長の例だけではなく、詳細を後述するスマイリーキクチさんの場合でも、摘発された投稿者はすべて、不起訴処分となっている。

二〇一八年一二月には、「まとめサイト」をめぐる裁判で名誉毀損を訴えた原告側が勝訴した実例もある（サイト側に二〇〇万円の賠償命令）。

ネット上における誹謗中傷をめぐる裁判は、他にも数多く進行している。

二〇二〇年一〇月現在、もっとも記憶に新しいのが、女優の春名風花さんの事例だろう。小学生の頃からTwitterをはじめ、当時から数々の誹謗中傷にさらされてきた春名さんは、二〇二〇年一月、「虚偽の内容を投稿され傷つけられた」として、書き込みをした人物を特定、慰謝料などを求め訴訟を起こした。

発信者情報の開示請求などを含めると、実に約二年間を費やしたが、七月十六日、示談が成立。三一五万四〇〇〇円の慰謝料は、ネット上での誹謗中傷をめぐる「前例」として、大きな影響を与えるという見方もある。

また、元ＡＫＢ48のタレント、川崎希さんも、掲示板に書き込まれた悪質な誹謗中傷について、発信者情報を開示請求、刑事告訴した。掲示板には、「自宅に着払いで荷物を送ろう」「（川崎さんら家族が）海外にいる間は放火するチャンス」など、極めて悪質な書き込みがされていた。また、開設していたブログで妊娠発表後に「嘘つくな」「流産しろ」など、悪質なメッセージが届いていた。侮辱罪で告訴、書類送検されたのは女性二名だった。彼女たちは「バレると思わなかった」「他の人も書いてるから大丈夫だと思った」と供述したそうだ。バレなきゃ何をしてもいいのか？　他の人がやっていたら自分もやっていいのか？　あまりにも低レベルの言い訳に驚きを隠せない。また同時に、「匿名性」の問題を感じた事件だった。それでも、「本人たちも深く反省している」として、二〇二〇年三月に刑事告訴は取り下げられている。

また、タレントの堀ちえみさんも、二〇一九年春、自身のブログのコメント欄への悪質な書き込みを受け、警視庁に被害届を提出。がん闘病中に、「死ねばよかったのに」など、数カ月にわたって何度も誹謗中傷を受けた。この書き込みをしたのは五〇代主婦。脅迫容疑で書類送検されたが、「みなさん書いてるじゃないですか」など、ほとんど反省の色を見せなかったらしい。

こうした芸能人をターゲットにした誹謗中傷は、本当に後を絶たない。「ネットは匿名が守られる」と信じている層が多いようだが、きちんと手続きをすれば、個人の特定はできる。もはや「ネット上において匿名は匿名ではない」ということを一般常識として教育する必要があるのではないだろうか。

ここまでの事例はあくまで「本人」を対象としたものだが、私や石橋社長のように、そもそもまったく関係のない第三者にも関わらず、間違って誹謗中傷され、それが何と約一〇年にもおよんだ芸能人もいる。それが、スマイリーキクチさんだ。

一九八八年、東京都足立区で、日本の犯罪史上に残る残虐な殺人事件が起きた。一人の女子高生が複数の少年たちに四〇日間以上も監禁、暴行され、命を奪われたその事件に関わったというデマを流されたのが、スマイリーキクチさんである。

デマの根拠は、同世代、足立区出身、小中学生のほんの一時期、いわゆる「不良」だったというだけ。足立区といっても、スマイリーキクチさんが育ったのは事件が発生した場所とは東西で真反対。同世代など、足立区だけで何万人もいる。今、考えても、あまりにも薄弱な根拠だった。

そのデマが流れたのは事件発生から一〇年以上が経過した一九九九年のことだ。Windows98が発売された翌年、つまりはインターネット黎明期である。こんなに薄弱な根拠にも関わらずデマが拡散したのは、ネットだけの影響ではない。実は、元警察官が書いたという、ある一冊の本に「元コンビで今はピン芸人が事件に関わっている」という記載があったからだ。これにもスマイリーキクチさんの名前は一切、書かれていないが、それと前記した「偶然の一致」が結びつけられ、一気に拡散した。

スマイリーキクチさんは、約一〇年にわたって、デマを流した「顔の見えない相手」と闘った。今も十分とは言えないが、当時はインターネットの誹謗中傷案件に対する法整備がもっと貧弱だった時代である。それでも、一九人を特定、刑事告訴している（後に全員が不起訴処分。詳細は一〇二ページからの対談を参照）。

芸能人の生活基盤は、メディアに登場することだ。それだけに、どうしても誹謗中傷に晒されやすい。その過程でプライバシーを暴かれてもなお、「有名税」「批判されるのが嫌なら芸能人をやめろ」などと言われてしまい、どんどん追い詰められていく。

そして二〇二〇年五月、自ら命を絶った女性プロレスラー、木村 花さんの事件があった。彼女は、複数の男女がシェアハウスし、その恋愛模様を含めた生活を記録、放映する、いわゆる「リアリティショー」に出演していた。テレビ番組である以上、これは実生活ではない。後日、テレビ局は「演出に無理強いはない」などとコメントしたが、カメラが回っている以上、「一〇〇％の素」の言動はありえないのではないだろうか。にも関わらず、木村さんは、出演した際の言動をめぐってSNSでとてつもない数の誹謗中傷を受けた。とくに二〇二〇年三月末、番組内でのある出来事をきっかけに批判は一気にエスカレート。それを苦にした結果の自殺とされている。

この一件を受けて、ようやく日本政府も重い腰を上げつつある。

ＳＮＳによる誹謗中傷をはじめとする権利侵害の急増を受け、インターネット上で誹謗中傷などを行った発信者の本人情報特定を容易にするための制度改正を検討する姿勢を示している。具体的には、二〇二〇年四月から、「発信者情報開示の在り方に関する研究会」が発足した。また、五月には当時の総務大臣や官房長官もコメントを発表。法務省でも、二〇二〇年六月一日付けで、ＳＮＳでの誹謗中傷対策を検討するプロジェクトチームを設置。総務省をはじめとする関係省庁と連携し、民事手続きの迅速化を実現するための投稿者情報開示を強制できる動きを進めている。

総務省では、ＳＮＳ事業者などからの開示情報に電話番号を加える方針を示し、二〇二〇年八月三一日以降は実施されている。近年では、なりすまし防止の観点もあって、アカウント開設時に携帯電話番号を求めるＳＮＳ事業者は多い。これによって、被害者が訴えれば、ＳＮＳの利用者が登録した電話番号が開示されることになる。他、さまざまな機関や企業が対策に乗り出そうとして

図2　インターネット上の誹謗中傷に関する昨今の民間の動き(2020年7月)

ソーシャルメディア利用環境整備機構　会員企業：ByteDance株式会社、Facebook Japan株式会社、LINE株式会社、Twitter Japan株式会社 等

2020年5月26日「ソーシャルメディア上の名誉毀損や侮辱等を意図したコンテンツの投稿行為等に対する緊急声明」を発出

【声明内容】

- 禁止事項の明示と措置の徹底
- 健全なソーシャルメディア利用に向けた啓発
- 捜査機関への協力及びプロバイダ責任制限法への対応
- 取組の透明性向上
- 啓発コンテンツの掲載
- 政府・関係団体との連携

セーファーインターネット協会　会員企業：ヤフー株式会社、株式会社ミクシィ、アマゾンジャパン合同会社、株式会社メルカリ等のEC事業者

2020年6月4日プレスリリースを公表

【プレスリリース内容】

- 社会インフラとなっているインターネットをより一層安心して使えるように、誹謗中傷情報についての相談を受け付ける「誹謗中傷ホットライン」を2020年6月末までに立ち上げる
- また、第三者機関として、投稿の削除や発信者情報の開示に関して対応に苦慮しているプロバイダからの相談に応じ、適正で迅速な削除や任意開示の促進に寄与していく役割を担っていく

日本インターネットプロバイダー協会　会員企業：インターネットプロバイダー事業者

2020年5月28日「SNS上の誹謗中傷問題に対する緊急声明」を発出

【声明内容】

- 関係省庁や関係団体とより一層連携を強化し、インターネットの健全な発展のために尽力する

ネット社会の健全な発展に向けた連絡協議会

事 務 局：マルチメディア振興センター(FMMC)

参加団体：安心ネットづくり促進協議会(安心協)、インターネットコンテンツ審査監視機構(I-ROI)、セーファーインターネット協会(SIA)、テレコムサービス協会(テレサ協)、電気通信事業者協会(TCA)、日本インターネットプロバイダー協会(JAIPA)、日本ケーブルテレビ連盟(JCTA)、モバイル・コンテンツ・フォーラム(MCF)

2020年5月28日「SNS上の誹謗中傷が原因とされる事件の発生について(コメント)」を公表

【声明内容】

- 他人を傷つける情報発信を未然に防止し、利用者のマナー及びモラル向上が図られるよう、関係機関と協力しながら引き続き取り組む

ヤフー株式会社

2020年6月1日「個人に対する誹謗中傷等を内容とする投稿への対応について」プレスリリースを公表

【プレスリリース内容】

- ユーザーへの周知・啓発、専門チームによるパトロール、AIを利用した不適切な投稿対策等の対策強化
- 誹謗中傷等を内容とする投稿に関する問題の対処を検討するに当たり、議論を行う場として2020年6月中めどに検討会を設置

出典：総務省 総合通信基盤局

いる（図参照）。

これまで、5ちゃんねるに代表されるインターネットの掲示板やＳＮＳは、被害者にとっては「無法地帯」に近いものだった。何を言われても、どんなにひどいデマを流されても、流した本人を特定するには長い年月、お金、労力がかかってしまう。私を含めて、多くの方の犠牲のうえで、「ネットの匿名性」が生む負の側面がようやく、解消されつつあるとすれば、それは歓迎すべきことだと思う。

しかし、ネットの誹謗中傷で命まで絶った例は、日本だけではない。こんなに多くの犠牲があってようやく、ここまでたどり着いたことを、喜んでいいのか悲しんでいいのか、よくわからないというのが実感だ。

3節　「書き込み」に対する責任

ちょっと本筋からは逸れるが、ここでネットにおける誹謗中傷の書き込みについて記すことにする。

スマイリーキクチさん、石橋秀文社長、私の事案と、他の芸能人の方の事案の決定的な違いは、「人違いによるまったくのデマ」が拡散されたということだ。他の芸能人の皆さんの場合は、その方のキャラクターや言動が誹謗中傷の対象となっているが、私たちはある日突然、まったく身に覚えのない事件の犯人、あるいは関係者に祭り上げられてしまった。

スマイリーキクチさん、石橋社長とは対談をさせていただいたが、書き込みした「加害者」の多くは、本人特定され、訴えられてもなお、自分のことを加害者とはつゆほども考えていないようだ。私のところには一部の人から謝罪のメッセージが届いたが、彼ら、彼女らに共通した言い分は、「私たちも騙された被害者」ということだ。多くの人がそう書き込んでいたから、信じ込んでしまった。書き込みは正義感に基づいたもので、悪気はない、といった文意のメッセージが多数、届いた。

スマイリーキクチさんは、そうした言い分に対し「想像力を欠いている」と指摘したが、まったく同意見だ。「もし、この情報が間違っていたら、この人はどうなるんだろう?」という想像力がまったくない。

ネットの書き込みは、どんなに拡散していてもそれが事実とは限らないのだ。いわゆる「一次情報」をたどることなく、対象者のタイムラインに書き込んだり、誹謗中傷のメッセージを送ったりする。あるいは、安易にリツイートや「いいね」ボタンを押して拡散する。いかに正義感に従った行動だとしても、間違った情報をもとに誹謗中傷した、拡散したという「結果」は残る。その結果は、「デジタルタトゥー」としてネットに刻まれて、被害者を半永久的に傷つけることになる。「私たちも騙された被害者」などという言い分はとんでもない。事実確認をしなかったという時点で、それは罪なのだ。本当の「被害者」である私たちは、そうした「加害者」を絶対に許すことはできない。

もちろん、私たちのような人違いだけでなく、芸能人・著名人の言動に対する誹謗中傷も同じだ。正当な批判ならともかく、人格や風貌に対する誹謗中傷、そしてその拡散も許される行為ではない。

拡散に関しては、すでに「リツイート」も損害賠償の対象である、という判決が出ている。元大阪府知事の橋下 徹氏が、ジャーナリストに対し慰謝料などを求めた裁判だ。そのジャーナリストは、府知事時代の橋下氏が職員を自殺に追い込んだなどという第三者の投稿をリツイート(後に削除)。この行為を訴えた訴訟に対し、一審・二審ともに慰謝料の支払いを命じる判決が出た。高裁判決においては、リツイートの法的責任について、「投稿内容に含まれる表現が人の客観的評価を低下させるかについて、相応の慎重さが求められる」とされた。

さらにその後、「いいね」に対する訴訟も起きている。二〇二〇年九月現在、まだ判決は出ていないが、TwitterやFacebookの「いいね」は、フォロワーに対する拡散力がある。もっとも、同訴訟については、拡散力ではなく、「いいね」をした行為そのものについての訴えなので、裁判では論点にはならないと思う。しかし、ＳＮＳにおける「行動」はすべて、世の中に対する影響力があるということを念頭に入れて利用しないと、思わぬ結果を招く可能性があることを、すべての利用者が認識してほしいと強く願う。

対談

スマイリーキクチさんに聞く
「誹謗中傷との闘い方」と「ネットとの付き合い方」

ネット上に流れたデマが原因で、膨大な数の誹謗中傷に晒される。その経験をおそらく、日本で最初に強いられたのがタレントのスマイリーキクチさんだ。日本の犯罪史上に残る残虐な事件の「犯人の一人」とされたデマと約二〇年間も闘い続け、今は弁護士などとともに立ち上げた「インターネット・ヒューマンライツ協会」の代表を務めている。

私に対する誹謗中傷も、当初から気にかけていただき、証拠のスクリーンショットを残すなど、「いつでも手助けするつもりだった」と言っていただいていたスマイリーキクチさん。二人で、「ネットとの向き合い方」を話し合った。

スマイリーキクチ（以下スマイリー）　あの映像（常磐道でのあおり運転後の暴行）が広まり、さはらさんが誹謗中傷されはじめた頃から、先日の裁判（元市議会議員に対する民事訴訟：第五章参照）の判決まで、事件の動向はウォッチしていました。本当に大変なご経験をされましたね。

コロナ禍のなか、オンライン取材で熱弁を奮ってくれたスマイリーキクチさん（2020年8月）

さはら　怒りや悲しみといった感情は、もちろん今でもありますが、訴訟などの手続きについては、今のところは弁護士の小沢先生にほとんどお任せできていますし、スマイリーさんのときほど、手間も時間も割いているわけではないと思います。著書（突然、僕は殺人犯にされた：竹書房）を読ませていただきましたが、誹謗中傷対策だけではなく、ネット上での犯罪行為に対する社会的な備えがぜんぜんできていなかったあの頃に、どうしてあんなに過酷な闘いを続けようと思われたのですか？

スマイリー　実は、最初にデマを書き込まれた一九九九年の頃は、まともに受け止めていなかったのです。インターネットにもパソコンにもまったく、興味も関心もありませんでしたから。今にして思うと、世界で一番、ネットを舐めていた人間だったのでは、とすら感じます（苦笑）。でも、それが二〇〇〇年頃になると、事務所やテレビ局などのメディア、スポンサーさんに対する苦情が入るようになり、仕事に影響が出てきました。また、書き込みがどんどんエスカレートして、僕に対する殺害予告や、恋人や家族、ライブ会場へ危害を加えるといった予告まで入ってきたのです。さらに二〇〇六年頃に、元刑事と名乗る人物が書いた本に「犯人グループの一人はお笑い芸人になった」と僕を匂わせる記述があって、一気に誹謗中傷がエスカレートしていきました。自分に対する危害はともかく、周囲の大切な人まで巻き込むわけにはいかないという思いが、苦しい日々を乗り越えるモチベーションだったと思います。あと、恋人や友人も支えてくれました。それと何よりも、僕に対する誹謗中傷のなかに、殺人事件の被害者の方を冒涜するような書き込みが多かったのです。それは、どうしても許せなかったのです。

さはら　殺害予告……。

スマイリー　数え切れないくらい、ありましたよ。さはらさんに対する書き込みにも「見つけたらただではおかない」みたいなものはありましたよね。僕、スクショを撮ってURLも保存しました。脅迫めいた投稿もあって、協力が必要になったときのために証拠に残しとこうと思って（スマホの画面を見せながら）。

さはら　本当にありがとうございます！　確かに、スクリーンショットは証拠として絶対に欠かせないですよね。私は、もともとＩＴやネットの世界でビジネスをしていますので、「この書き込みをした人たち、一人残らず正体を暴いてやる！」という思いでひたすらに撮ってました。もしかしたら、この怒りがモチベーションになっていたのかもしれません。もちろん、デマを放置して家族を巻き込みたくない、という思いもありましたけど。

スマイリー　犯罪って、被害者が「リスクを放置した責任」を重く見られるんですよね。実際に何か起きたとき、「こんなに書き込みされてたのに放置していた」という責任が問われてしまう。実際に、僕は検察から「（犯人グループと同じ）足立区出身と公表して、普通の人なら犯人にされるかもと予測できますよ。あなたにも問題がある」って、まるで僕の責任のように言われて、本当に頭にきたことがあります。

さはら　それはひどすぎますよね。本のなかでも、その下りを読んだときは自分のことのように頭にきました。

どこに行けば相手にしてもらえるか――乏しい警察に関する情報

スマイリー　さはらさんも、警察にはかなり早い段階で行かれてましたよね？　いかがでした？

さはら　はい。すぐに行きました。ただ、正直申しまして、あまりいい印象は残っていません。

スマイリー　確か、生活安全課でしたよね？　その時点で、あぁ、これはちょっとこの後、苦労されるかなと思ったんですよ。名誉毀損は刑事課が担当で、生活安全課が動くとしたら、ストーカーやリベンジポルノなんですよ。僕も最初、その壁にあたりましたから。

さはら　警察にはどこに行っていいのかわからずに、とりあえず窓口で状況を説明したら生活安全課にまわされた、という感じでした。やはり違ったんですね。

スマイリー　警察の場合、ネットに詳しい刑事さんに出会えるかどうかがとても大きいです。弁護士と違って、選ぶことが難しいですから。ただ、個人的には(警察を)動かせる状況なら、動いてもらうべきだと思います。ＰＣも押収してもらえるし、何よりも弁護士さんに依頼するより費用が安く済みますので。二〇〇八年当時は、今よりも弁護士さんへの相談や依頼は費用もかかりました。あの頃、一人と裁判するのに二〇〇万円かかる、と言われたことがあります。とても一般市民ができるレベルではありません。

さはら　そういう生きた、役に立つ情報をほとんどの人は持っていないし、探せないんですよね。私もそうでしたが。

スマイリー　僕は個人的に調べています。全国の警察でネット関係の事件に強い、実績のあるところとか。どこに行けば、ちゃんと対応してもらえるのか、多くの人に知ってほしい。今度、また本を出す予定で、そこに書くつもりです。お金のない人でも、誹謗中傷に対処できるような社会になってほしいと心から思います。こんな辛い思いをするのは、僕だけで十分です。

時代が変われば、メディアも変わる

スマイリー　ＩＴの業界におられるということは、かなりお仕事にも影響があったのでは？

さはら　そうですね。私はInstagramを活用したマーケティングをビジネスとしていたのですが、この騒動で（Instagramの）アカウントを停止せざるを得ませんでした。Twitterのアカウントを持っていなかったこともあって、直接的な誹謗中傷はほぼすべて、Instagram

に来ましたから。結果的に、ビジネスの柱をひとつ、失ったことは確かです。今では、「ITで生計を立てている人間が、よりによってガラケー女に間違われてInstagramもできなくなっちゃった」と自虐ネタにしてますけど(苦笑)。

スマイリー　本当にお気の毒ですが、やっぱり気持ちの切り替えは大事ですね。僕もさはらさんに関する書き込みを見て、真っ先にInstagramのプロがガラケーを使っているってことにとてつもない違和感を覚えて、「二台持ちって可能性はあるけど、それにしても普通に考えたら、この情報は人違いだろ」って思ったのを覚えています。

さはら　スマイリーさんのときは、TwitterやInstagramはなかったですよね?

スマイリー　Twitterは普及しはじめたくらいでしたね。まだユーザーが少なかったので、ほとんど影響はありませんでした。誹謗中傷の多くは、自分でやっていたブログ（アメブロ「どうもありがとう」）へのコメント、そして2ちゃんねる（現在の5ちゃんねる）への書き込みです。とくに悪質だと警察で判断されたのが、直接、僕の目に入るブログへのコメントです。2ちゃんねるは、見にいきさえしなければ目にすることもない、ということでした。いまはTwitterもInstagramもFacebookも、自分のアカウントにリプライが来ますし、ＤＭ（ダイレクトメッセージ）もありますから、対象となるメディアはあの頃より広がっています。

刑事告訴はほとんど不起訴も「次はない」と思わせる効果はある

スマイリー　さはらさんが刑事告訴していないのが不思議で、その理由を聞いてみたかったのです。なぜですか？

さはら　絶対に刑事告訴しないというわけではありません。あまりにも件数が多すぎて、どれを刑事事件にすべきか、どれが民事裁判なのかを整理するのが大変なのです。それに件数がどんなに多くても、アクセスプロバイダのログ保存期間は三カ月しかありません。その間に、開示請求をしないと本人までたどり着かないので、（弁護士と）まずはそれを急ぎましょうという方針を定めました。それにコンテンツプロバイダであるTwitter社や、Instagramを運営しているFacebook社は海外企業ですから、かなりの時間がかかります。対象の書き込みを整理、分類したうえで、まず民事で和解できるもの、裁判するものを進めて、とくに悪質と判断したものは刑事告訴する予定です。今のところ、確実に一件は刑事告訴することになると思いますし、他にもあるかもしれません。なにせ、きちんと分類して絞り込んだにも関わらず、訴訟は一〇〇件を超えそうですから。

スマイリー　一〇〇件！　それはすごい。僕が刑事告訴したのは一九件でした。それでも、かなりの時間と費用もかかって、消耗しましたね。民事訴訟も考えましたが、もうこれ以上、この人たちと関わりたくない、と思いました。

さはら　私の最大の目的は、「これをやると加害者になる」ということをネットを使う人、全員に理解してもらいたい、ということです。記者会見も、本当はやりたくなかったのですが、ソーシャルメディアのリテラシーについて利用者全員が考えるべきだという思いと、実際は難しいのですが、「リツイートも対象にしますよ」ということを言いたくて開いたようなものですから。

スマイリー　なるほど。僕は先ほど申し上げたように、逆に刑事告訴にこだわったのですが、理由はほとんど同じです。どんな書き込みがダメなのか、その書き込みがどんな事態を招く可能性があるのか、それをわかってもらいたかった。あと、罰を与えたい、デマの拡散が罪であることを認めさせたいという思いも強かったので。

さはら　ただ、スマイリーさんの件もそうですが、ネットの誹謗中傷事案は刑事告訴しても不起訴になることが多くないですか？

スマイリー　確かに、書類送検された対象はすべて、不起訴になりました。他の芸能人の方のケースでも不起訴が多いですよね。でも、ほとんどは完全な無罪ではなく、「嫌疑不十分」や「起訴猶予」という司法判断です。これは、前歴が残ります。こうした書き込みをする人間は、繰り返す傾向が強い。実際に炎上を招いているのは、ごく一部の同じ人間であることは、さまざまな研究で明らかになっています。告訴して、たとえ不起訴処分になっても、書類送検されたという記録は残ります。つまり「もう一回、繰り返したらアウト」という状況を作ることができる意義は大きいと思っています。

何が書いてあるか、ではなく「誰が書いているか」で判断しよう

スマイリー　さはらさんに関するデマを最初に書き込んだ人は、明らかになっているのですか？

さはら　いいえ。すぐにTwitterのアカウントを消去していました。目星はついているのですが……。

スマイリー　そうなんですよね。僕、事件を知った後、すぐにたどってみたんですよ、二時間くらい検索して。でも、まったくわからなかった。ちょっとこれについては、声を大にして訴えたいことがあるんですが、いいですか？

さはら　どうぞどうぞ（笑）

スマイリー　ネットの、とくにSNSの書き込みについては、「犯人は誰」よりも、「誰が書いているのか」と「裏付け」をチェックしま

しょう、ということです。書いている人が何者かわからない事案は、疑ってかかるべきです。すごく簡単なことですが、信憑性を測るうえでは、これがとても大きい。リツイートをちょっとたどってみて、もともと誰が書いたかわからないような書き込みは、安易にリツイートしたり「いいね」をしないこと。これはSNSを使ううえで鉄則だと感じています。もちろん、さはらさんのときのように政治家(市議会議員、当時)が名前を出して拡散しているケースもあるので、一〇〇%というわけではないですが、判断材料としては重要だと思います。

さはら あの元市議の方は、やや極端な例ですから、参考にはならないです。おっしゃられるように、「誰」という要素は大きいですね。それと、アカウントを持っている以上、たとえ匿名でも自分の言葉や行動(リツイートやシェアなど)には責任が生じることをわかってほしいとも思います。

逆恨みを生む可能性も「歪んだ正義感」の弊害

さはら　私やスマイリーさんに対する誹謗中傷は、正義感からやってしまったという見方が強いと思うのですが、これについてはどうお考えですか？

スマイリー　（告訴した）一九人もそう言ってましたし、他の書き込んだ大勢も、ほとんどは「事件の犯人が許せなかったから」と言うと思います。その正義感がゆえに、僕を犯人だと信じて疑わない人がとても多かった。本にも書きましたが、これではもう、僕がどう反論しても、信じてもらえない。この人たちにとっては、「スマイリーキクチは犯人でなくてはならない」のです。残念ですが、今でも、こういう人はいます。実際に今年もちょいちょい、中傷の書き込みはありますよ。

さはら　まだデマを信じている人がいるんですね。私には、裁判のニュースが報道されたりすると「まだやってんのか、しつこい女だな」みたいな書き込みはあります。最初の記者会見の後は、あおり運転が許せなかった、暴力行為を笑いながら撮影していたあの女が許せなかった、という正義感から書き込んだという言い訳が書かれた謝罪が山ほどきました。この人たちが「自分たちも騙された被害者なんだ」と本気で思っていることにびっくりしました。

スマイリー　あの元市議の方もそうでしたよね。自分もデマに騙された被害者なんだって。僕が告訴した一九人もそうでした。だから、一人も謝罪はありませんでしたから。

さはら　一人もですか？

スマイリー　はい。というか、むしろ恨まれてるんじゃないですかね。自分はデマに騙された被害者なのに訴えやがって、みたいな。

さはら　たぶん、そうでしょうね。本当にひどい話ですが。

スマイリー　逆の立場なら自分はどう感じるだろうという想像力が決定的に欠如していると思います。それと、正義感の意味を取り違えている。本来は「弱い人を守る」ことが正義感のはずですが、この人たちはそうじゃない。コロナ禍で話題になった「自粛警察」とかいう人たちも似たようなものではないでしょうか。「自分は正義だ！」と言いたいから、誰か、とくに立場の弱い人を批判する。貼り紙とか書き込みとか、行為そのものは犯罪以外の何モノでもないですが、しないと気がすまない。モラルに厳しい人ほどマナーが足りないとも感じます。

さはら　実際に書き込んでいる人のタイムラインを見ると、ホントに普通の方というか、お子さんのいる方が多かったのにびっくりしました。これはいったい、なんなんだと怖くなりました。

スマイリー　僕のときも、脅迫めいた書き込みは、実は女性の方が多かったですね。心理学的には、母性本能との関連などの学説はあるようですが、確かに怖い話です。

さはら　それと、時間を持て余している人が多いんじゃないかと思いました。私に対する誹謗中傷を書くためだけにアカウントを開設した人がホントに多かったんですよね。書き込んだら、アカウントごと消して逃げる。それを繰り返す。かなり手間も時間もかけてますから、やはり正義感が歪んでるのかな、と思います。

誹謗中傷されたときの最大のポイント
絶対に「言い返さない」こと!

さはら　これからも、ネットの誹謗中傷で傷つく人、悩む人が多いと思います。なにかアドバイスはありますか?

スマイリー　アドバイスというより、さはらさんの振る舞いで本当に感心したのが、書き込む相手と一切、やりあわなかったことですね。あれ、どうしてもやりあっちゃう人が多いんですよ。

さはら　本当に我慢しました(苦笑)。好き勝手言われて、頭にきましたけど、匿名で言っている相手ですからね。「これ、ぜんぶ名前も仕事も暴いてやる！」って、それだけを考えてました。

スマイリー　これは本当に重要なんですよ。警察は「一方的な被害者」でないと動いてくれませんから。加害者とやりあった時点で、喧嘩になっちゃう。民事裁判も同じです。「違います、間違いです」はＯＫですが、中傷する相手に対して「来るなら来い」とか言っちゃったり書いたりしちゃうと、もう「あなたも煽ったでしょう、挑発したよね」となっちゃいます。

さはら　ソーシャルメディアに対する考え方、スタンスはどうすればいいのでしょうか。

スマイリー　先ほど、正義感の話をしましたが、「義」の文字を「疑」と読み替える必要があるのかな、と。これは正しいことなのか、事実なのか。常に疑う感覚がないと、ソーシャルメディアと付き合うことは難しいと思います。あと、ネットの向こう側には、逆恨みするような危険な人もいるということを前提に活用すること。だから、誹謗中傷を受けたら、警察に可能な限り動いてもらった方がいいと思います。

さはら　今日は本当にありがとうございました。私たち二人の体験が、ネットの誹謗中傷にどう対峙すればいいのかを考えるきっかけになればいいと心の底から思います。

スマイリーキクチ

1972年東京都生まれ。1993年1月 コンビ『ナイトシフト』結成。1994年6月解散。現在は一人で活躍中。この笑顔とおだやかな口調ながらするどい切り口のトークが特徴。また自身のネット中傷被害の経験を生かし、講演活動を行っている。2020年、一般社団法人インターネット・ヒューマンライツ協会を立ち上げ代表に就任。https://interhumanright.org/

第四章

記者会見、そして訴訟へ

1節　顔出しNG、声だけの記者会見

事件からちょうど一週間後の八月二三日の一六時、私は記者会見を行った。

数日前に、小沢先生から記者会見の打診を受けたときは即答でお断りした。そもそもできるだけ事を大きくしたくないのに、テレビに出るなんて絶対に嫌、絶対に無理！　と思ったのだ。

周囲に相談をしても、「やらない方がいい」という反応が多かった。ただ、その一方で、「現在のネット社会に一石を投じたい」という気持ちもどこかにあった。

私は今回こんな思いをした、でも、それは決して他人事ではなくてインターネットを利用するすべての人に起こり得ることで、一人ひとりがちゃんと考えなければいけないんだと、声を大にして言いたかった。もしかしたら誹謗中傷のコメントに対してずっと黙って我慢していた反動だったのかもしれない。

私は改めて、記者会見をしたくない理由を自問自答してみた。もちろん、経験したことのない未知の世界に対する不安と恐怖はある。そして、被害者としてメディアに出ることのメリットが何も思い浮かばなかった。すでにネット上には顔写真が流出していたが、事件についてしゃべった映像が全国ネットでオンエアされたら、これから先、生きづらくなるのではないか。街を歩いていて、「あ、あの人！」って言われるのはどうしても我慢できそうになかった。

その気持ちを正直に小沢先生に伝えたところ、「顔なら、出さなくても大丈夫ですよ」とあっさり言われてしまった。一生懸命、自問自答したのだが、なんだか拍子抜けである。顔を出さなくてもいいのであれば、自分の気持ちを訴えて、身の潔白を証明するためにも記者会見をすることは大きな意味があるだろうと思い返し、「やる」と決心した。

しかし、いざ当日となると、尋常ではないくらい緊張して、本当に胃が痛かった。吐きそうだった。この短時間に、胃に穴が開いたのではないかとすら思った。小沢先生は慣れているのか、ひょうひょうとしていて、頼もしい半面、自分の器の小ささを感じた。

小沢先生は、「さはらさんは被害者なんだし、まだ感情的に整理できていない部分もあるでしょう。記者の質問に完璧に答えられなくても全然、大丈夫ですからね」と仰ってくれた。このうえなく心強かった。

それでも、時間になり、会見場へ足を踏み入れた瞬間、緊張はピークに達した。

裁判所内にある司法記者クラブには、記者の方々がびっしりと座っており、椅子が足らずに立ち見の人すらいる。注目度の高さに、改めて「とんでもないことが、自分の身の上に起こったのだ」と再認識した。

普段、まったく見慣れない大きなカメラや照明がこちらに照準を合わせている。密室に集合した人の熱と照明の熱で会場はとても暑く、汗が止まらなかった。もしかしたら冷や汗だったのかもしれないが。

今となってはあのとき何を話したのかあまり覚えていないが、記者の質問には、何とか回答できていたと思う。すでに「完全なデマ」という認識は記者の方々も持っていてくれたので、そこまで回答に困る質問も出なかったような気がする。後で映像を確認したら、このようなやり取りがあった。

記者A　「何があったのですか？」

私　「普段通りに寝て、起きたら名前と写真がインターネット上に流出していて、まさか自分のことだという認識をなかなか持てませんでした。どうしていいのかはもちろん、なんでこんなことが起きたのかも、よくわかりません。でも、友人の弁護士に相談させていただいたり、他の友人からも心配や励ましの連絡をいただいて、とにかく動き出したところです。現実にこんなことが起こるんだなというのが率直に思ったことです。今、ちょうど一週間経ちましたけど、だいぶ誹謗中傷は減ってはいますが、まだインターネット上には名前と写真、拡散された情報が残っている状態ですし、精神的なところでまだ平常に戻れていないというのが現状です」

記者B「どういう人がコメントを残したのか分かりますか?」

私「いろんな誹謗中傷がありましたが、アカウントをひとつずつ見ていったなかで、小さなお子さんを抱えているようなお母さんだとか、子供自慢をしているお父さんがいたことにすごくびっくりしました。子を持つ親世代なんですから、『もし自分が』とか、『自分の子供が』とか考えられないのかな、と思いました。そうなったときどう対応するのかっていうところも含めて、いま一度、皆さまに本当に考えてほしいなと思います」

記者C　「伝えたい思いは？」

私　「私自身もそうでしたけど、まさか自分にそんなことが起こるなんて思ってもいない人がほとんどだと思います。今、本当に手軽に発信できる時代なので、何も考えずにやってしまった、という人も多いと思うんですけど、ちょっとワンクッションおいて、何かあったときに責任が取れるのかということを考えて、ＳＮＳを活用してもらいたいと思います」

このやり取り以外に、実は私が一番、伝えたかったのは、「発言はもちろん、リツイートしただけでも法的措置の対象となり得る」ということだったが、その思いだけは強く言えたと思う（実際には訴訟の対象にすることは難しかったが）。終始、緊張していた一時間におよぶ記者会見が終わった後の安堵感は半端なものではなかった。

一六時からはじまった記者会見は一七時に終わり、その後の夕方のニュースですぐ放送された。

記者会見の反響は想像以上で、その後の情報番組やネットニュースなどでも取り上げられ、それらを見た友人、知人からの連絡が殺到した。帰り道の電車の中で、学生時代の友人から「テレビ見てたらえりが出てきたよ‼ 会見やったんだね！ お疲れ様！」とLINEが届いて、こんなにリアルタイムで反応があるのかとびっくりした。

後日、以前通っていた整体の先生から「記者会見のニュースを見て驚きました。さはらさんですよね？ 大変でしたね」と連絡をもらったときには、顔を出していないのになぜ分かったのだろう？ 声？ それとも姿勢？ と自分の特徴を探したものだった。

なかには、「人違いと証明するための記者会見なのに、顔を出さないのであれば本人かどうか分からないのでは？」という質問も受けた。だが、これに関しては、すでにネット上には顔写真が出回っており、さらには容姿に関しての中傷もひどかったことから、実際にテレビで顔を映してしまうと、そこからまた新たな炎上につながることを懸念し、一切顔を出さないと強く心に決めていた。それは、現在に至るも同じ思いである。

2節　訴訟準備へ突入

記者会見後は、各テレビ局のニュース番組や雑誌の取材依頼が殺到した。そもそも取材依頼の数が多すぎて個別対応が難しいから、まとめて記者会見という手段をとったのに、その効果は薄かったようだ。

結局、弁護士事務所へ足を運んでもらったり、メールで質問に答えるという場合もあった。結構な質問の数だったが、同じ内容も多かった。そのなかで、もっとも嫌だったのが、「一番辛いと感じた中傷は何ですか?」という質問だった。

他にも、思い出したくもないことを、メディアは毎回のようにえぐってくる。具体的には、「まず、何が起きたのかを、朝起きた時から時系列で説明してください」「実際どのようなメッセージが来るんですか?」「それらに対して率直にどう思いましたか?」「そのメッセージを見せてもらえますか?」「その画面を写真に撮ってもいいですか?」などだ。

「朝、六時頃に電話が鳴って……」から、「SNSにまったく身に覚えのないところからいきなり知らない人からたくさん悪口を言われて……」「死ね」「殺す」「早く出頭しろ」というのは当たり前にあること。「そもそも生まれてきたことが間違い」「詐欺師だろう」とか、「ブスすぎる」など、まったく関係ないことまで中傷されることなどを、毎回、話さなければならない。そしてそのたびに、実際のスマートフォンの画面を提示していると、晒し者になった気分に陥った。

ちなみに、この本を書くにあたって、当時の報道番組を見返したのだが、久しぶりに心がキュッとなったのは言うまでもない。

「心を無にしないとやってられない」と感じたのは、けっこう早い段階だった。

メディア対応は確かに辛かったが、世の中に対して警鐘を鳴らす、先例を作る、といった意味では必須だったし、実際に反応も凄かった。とくに「リツイートしただけでも損害賠償請求の対象となる」という発言は、多くの「加害者」を震え上がらせたのかもしれない。手のひら返しが見事すぎて笑ってしまうくらい、謝罪のメールが急増した。

さまざまな取材で常に言ってきたことだが、その謝罪の多くは「デマを信じてしまい、暴言を吐いてしまった。申し訳ありません」というものだった。ＤＭをいくつか、紹介するが、謝罪の前の書き込みと比較してみてほしい。滑稽以外のナニモノでもないことがよくわかるだろう。

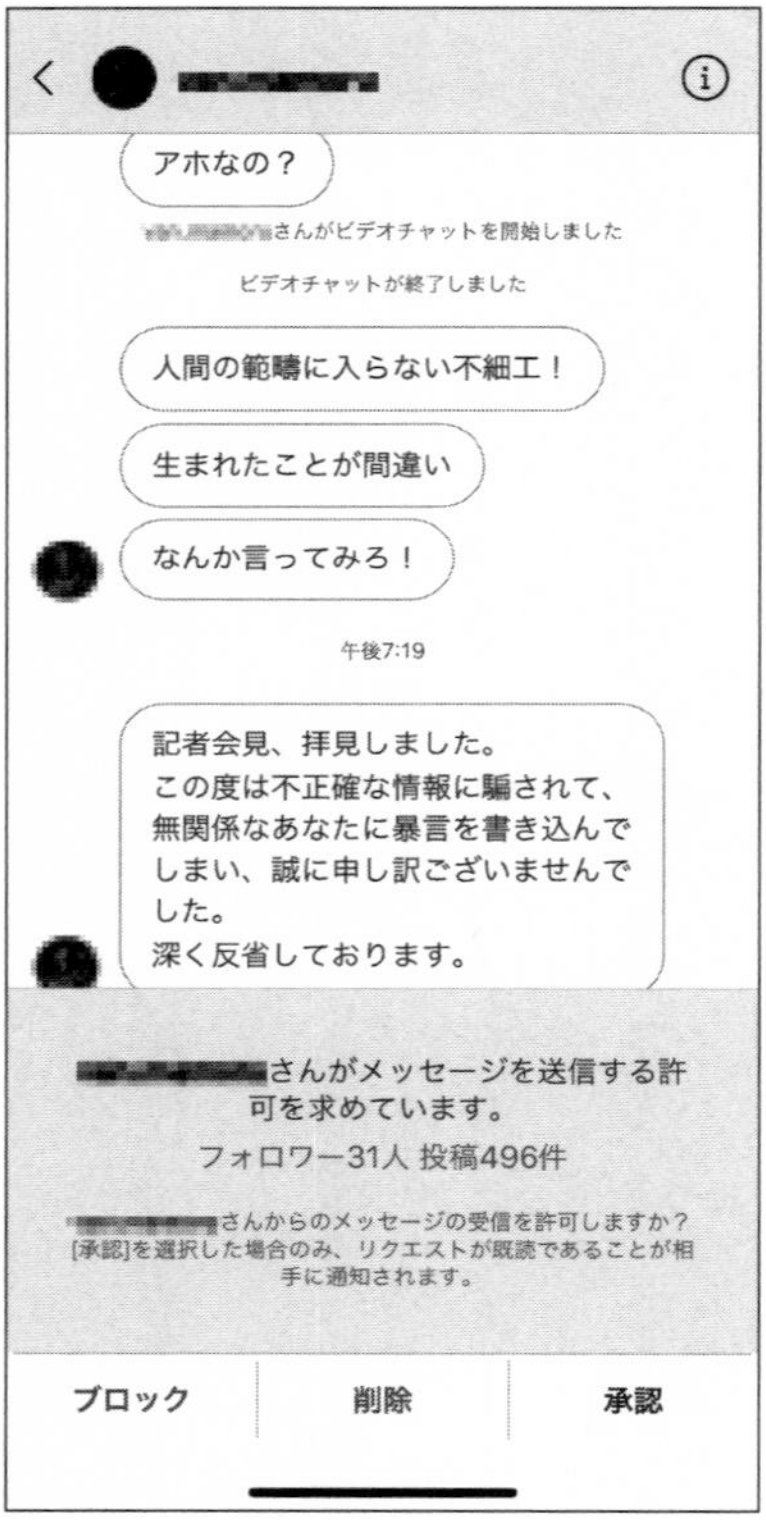

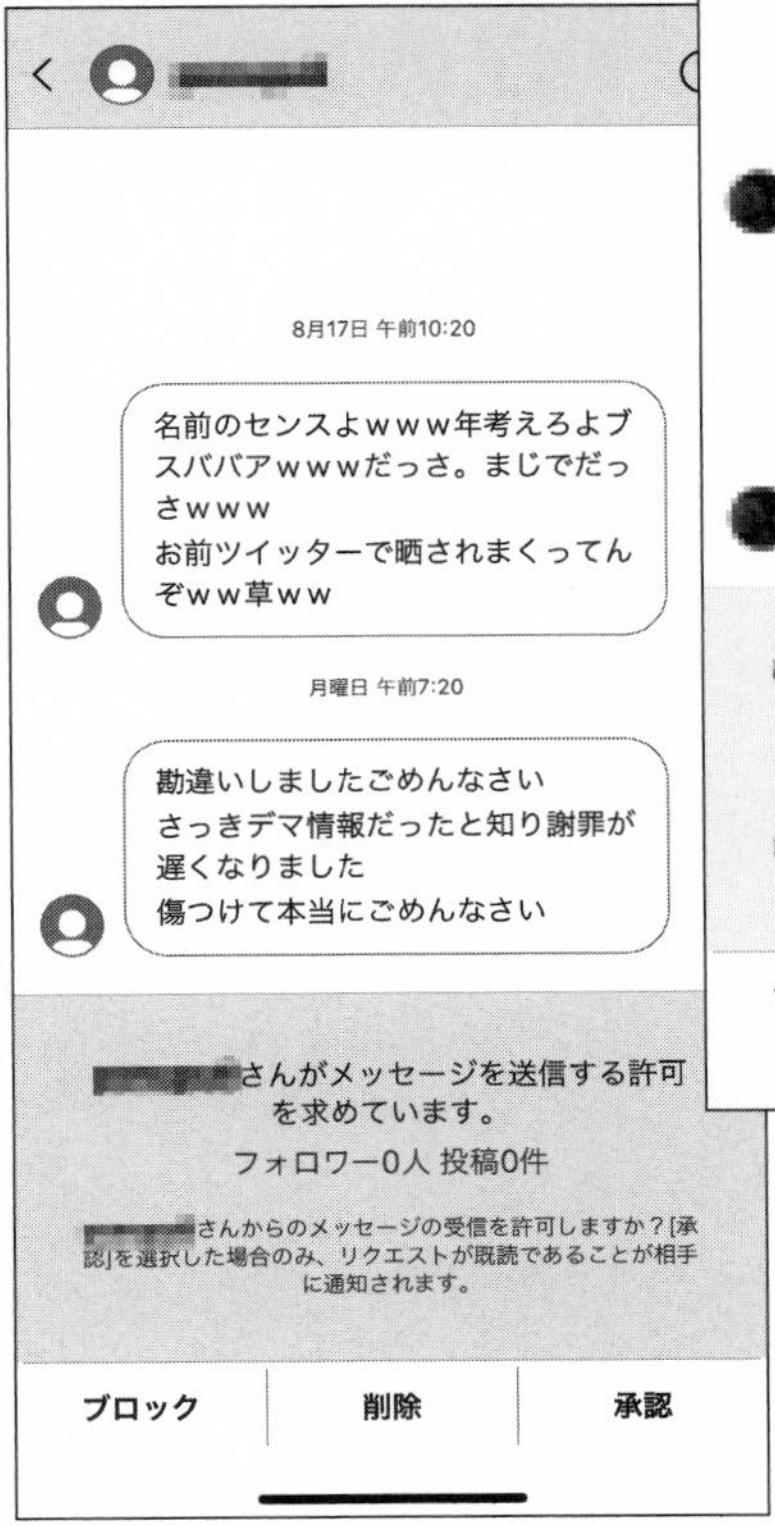
8月17日 午前10:20
名前のセンスよｗｗｗ年考えろよブスババアｗｗｗだっさ。まじでだっさｗｗｗ
お前ツイッターで晒されまくってんぞｗｗ草ｗｗ
月曜日 午前7:20
勘違いしましたごめんなさい
さっきデマ情報だったと知り謝罪が遅くなりました
傷つけて本当にごめんなさい
さんがメッセージを送信する許可を求めています。
フォロワー0人 投稿0件
さんからのメッセージの受信を許可しますか？[承認]を選択した場合のみ、リクエストが既読であることが相手に通知されます。
ブロック
削除
承認

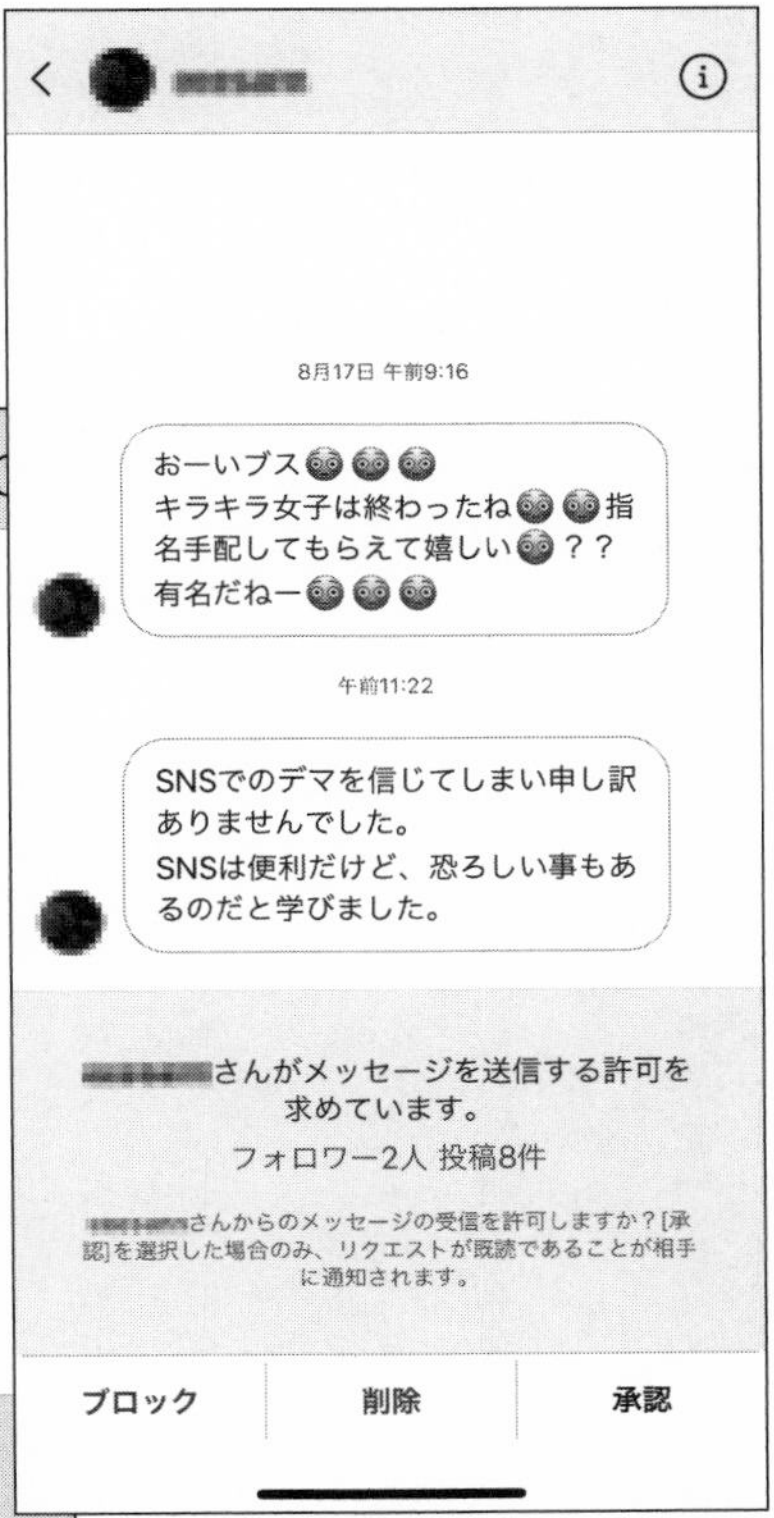
8月17日 午前9:16
おーいブス
キラキラ女子は終わったね 指名手配してもらえて嬉しい？？
有名だねー
午前11:22
SNSでのデマを信じてしまい申し訳ありませんでした。
SNSは便利だけど、恐ろしい事もあるのだと学びました。
さんがメッセージを送信する許可を求めています。
フォロワー2人 投稿8件
さんからのメッセージの受信を許可しますか？[承認]を選択した場合のみ、リクエストが既読であることが相手に通知されます。
ブロック
削除
承認

Instagramで送られてきたDMによる謝罪。
ひとつ前のメッセージとのギャップに注目

私は、「デマを信じたこと」と「暴言を吐く」ことは、絶対にイコールではないと思っている。

デマを信じてしまったことについては、人間の弱い部分として受け入れるとしても、暴言を吐くという行動については、まったく納得できない。見ず知らずの人に対して、「死ね」だの「殺す」だの言う人って一体どういう心理なの？　と率直に疑問が湧いたし、今もその思いは変わらない。

「死ね」「殺す」などという言葉は、もし仮に、本当の犯罪者に対してであっても、まったく関係のない他人が言うべき言葉ではない。日本は、法治国家である。裁くのは司法であって、大衆ではない。

こうした人々は、常日頃から怒りの感情をどこかに持っている人なのだろうか。仕事や家庭に満たされていない、社会的欲求不満を持つ人が、承認欲求を得るために他者を攻撃することで自分の優位性を保つということだろうか。

Twitterではとくに顕著だが、ＳＮＳの世界では批判的な意見ほど、「いいね」

がつきやすい傾向にある。自分の言動に対する好意的なリアクションを求めるあまり、知らず知らずのうちに「犯罪者」になっていることに気がつかないのかもしれない。

誹謗中傷する人々は、どんな人たちなのだろうか。

近年、自分に直接関係のないことにも「許せない」と過敏に反応する人々がとても増えていると感じる。それを「不寛容」というらしいが、自分の主義・信条と合わない行動を取る他人を叩いたり批判したり、さらには人格否定までする不寛容な人が増えているのが、日本の現状だ。

ＳＮＳの登場で、個人での発信に自由度が生まれた結果、制限なく「言論の自由」を訴える人々がいる。「言論の自由があるのだから何を言っても構わない」と主張する人々だ。いつからこの国はこんなにも国語力が低下したのだろうかと本当に危惧する。たしかにSNSを使えば(それもアカウントを取得するのは、ほとんどが無料で、かつ、あっという間に取れる)、有名人ではなくても、個人が発言・発信できる時代になった。しかし、「ルール」はいまだ存在しないに等しい。誰かを傷つけようと、自分自身が批判されようと、「自分の正義が絶対」という人がどんなに多いのか、私は今回のことで思い知った。個人が思いのまま発言する社会。でも、何も責任を問わない社会。それが今の日本だと感じる。

ネットにおける「炎上事件」を分析した国際大学グローバル・コミュニケーション・センターの山口真一氏によると、「一件の炎上に対して書き込みしているのは、ネットユーザーの〇・〇〇一五%、つまり七万人に一人」という。確かに、「少数の極端な意見を持つコメントが集まりやすい」というネットの特徴は、わからないでもない。

これは数年前の調査に基づくデータなので、SNSサービスがさらに増加した現在も同じレベルなのかは、素人である私にはわからない。しかし、実際に被害を受けた私からすれば、あまりピンとこないというのが正直なところだ。何しろ、わずか数日間の対象期間で、訴訟対象になった書き込みをした人だけでも一〇〇人もいるのだ。しかも、今回は私の容姿を中傷した書き込みは対象にしていない。それらを入れると、桁がひとつ上がる可能性すらある。実際に、後日の報道ではリツイートまで入れると一〇万人もの人が拡散に関わったとされている。

「少数の極端な意見を持つ人々」という調査結果は、被害者にとっては何の慰めにもならないし、こんなにもたくさんいるとすれば、それはもはや少数とは言えない気もする。

さまざまな専門家がネット上での行動を分析しているが、どれも「普通の市民」が腹落ちするには難しいと感じる。私の「経験」が、こうした分析の補完になればと強く願う。

おそらく、よってたかって中傷のコメントを重ねる人々には、古い表現だが「赤信号、みんなで渡れば怖くない」という感情があるように思う。

「金儲けをしていないから大丈夫、他にも大勢がやっているから大丈夫、相手が訴えてこないなら大丈夫、捜査機関や裁判所が動かなければＯＫ……これらは、インターネットでよく見られる言い分です」（『その「つぶやき」は犯罪です』鳥飼重和氏監修、新潮社）。

この意見は、私も体感した。誹謗中傷の書き込みから謝罪への一連のメッセージを見ると、ほとんどはこうした人々なんだろう、と思う。

そもそも、「匿名だから、バレないからＯＫ」というのも、おかしな話である。「自分が特定されないからなんでも言える」という人は、名前を出した瞬間に何も言えない人となるのではないだろうか。その責任感のなさには本当に驚くばかりだ。面と向かって言えない不満をネット上で「匿名」で吐き出している、小さい人間としか思えない。

現在、「ネット上の匿名は匿名ではない」ということは、それこそネット上の記事にあふれている。見ず知らずの人を中傷する前に、ネットに関してもっと勉強すべきだ。ネットを使うために、やること、やるべきことはいくらでもある。

3節　デマを流したのは誰だ！インフルエンサーを絞る

さて、話を本論に戻そう。

記者会見の次は、いよいよ訴訟の準備に入った。やるからには徹底的にやりたかったが、一〇万人以上もの人が拡散したといわれる今回のデマ情報拡散事件において、全員を訴訟対象にすることは現実的ではないため、人数を絞る必要があった。

ではどうやって対象者を絞り込むのか。まずは対象となる書き込みをいくつかに分類することにした。

まずは最初に、私が犯人の同乗者であると名指しでツイートしたと思われるアカウントだが、残念ながら「それが間違いなく最初」という確証は得られなかった。プロフィールの画像が恐ろしげで、記載が事実だとすれば一五歳の女の子らしい。書き込みが早朝三時とか四時くらいで、この以前に類似の書き込みが発見できなかったのでおそらく最初だろう、ということくらいしか言えないのが残念だった。しかも、このアカウントはすぐに丸ごと、消滅してしまった。

次は、このツイートを初期に拡散した人たちだ。つまり、5ちゃんねるなどの匿名の掲示板に情報を持って行き、拡散した人たちである。また、トレンドブログでまとめあげ、収益欲しさにデタラメな記事を書いた人たち。これらの人たちの影響力は非常に大きかった。

図　デマ拡散の構図

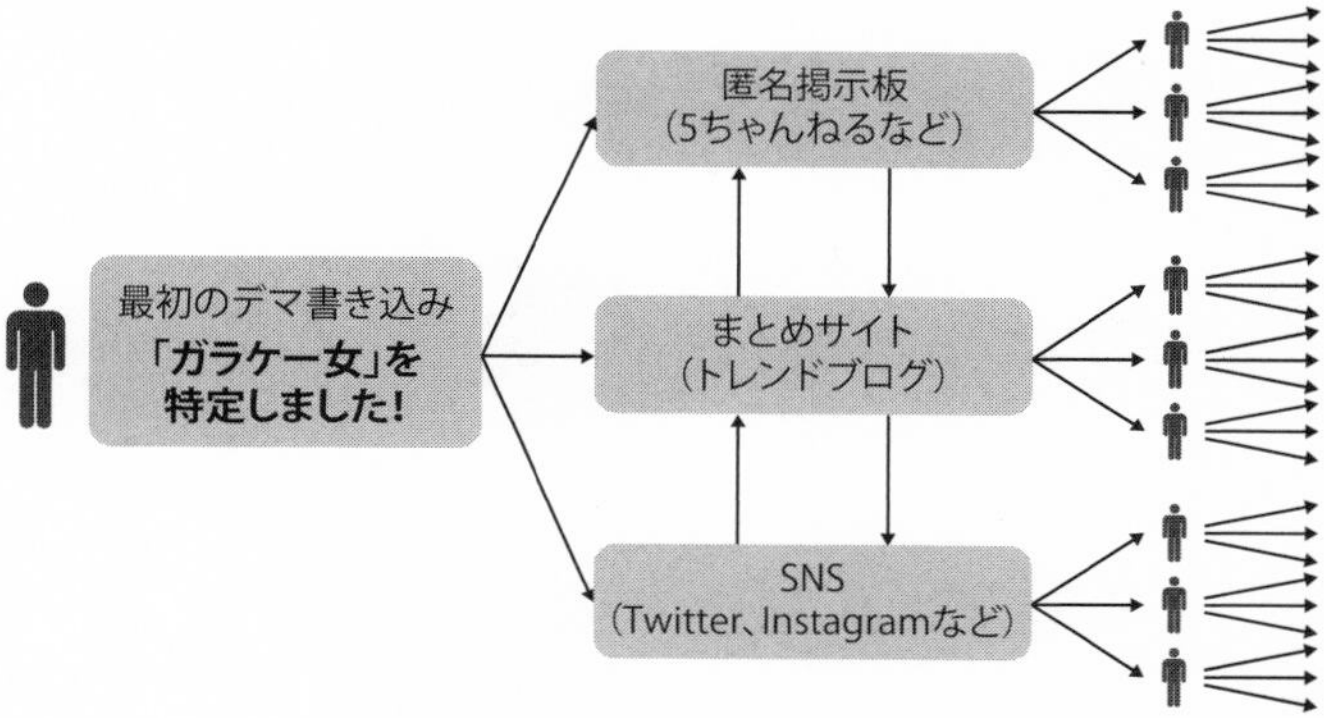

そして、それらの情報を今度はＳＮＳに貼り付けて「拡散希望」として投稿した人たち。最後に、コメントの有無はあるにせよリツイートした人たちだ。図にすれば、上のような感じになる。

改めて強調しておきたいのは、今回、私が直接的な被害を被ったのは、「あおり運転の同乗者として間違われたことによる犯罪者扱い」の書き込みだった、ということだ。

５ちゃんねるにせよTwitterにせよ、いや、他のメディアでも、ただコピーして貼り付けるというよりは、そこに自分の感情を書き込んで投稿されていることが多かった。その感情を示す表現も攻撃であり誹謗中傷なのだが、今回は「キチガイの顔をしている」「ブサイクすぎるから整形しろ」などの容姿への中傷や、「こいつは詐欺師だ」という仕事に対する批判、また単に「死ね」といったような書き込みは対象から外した。あくまで、対象は「あおり運転の同乗者としての犯罪者扱い」の書き込みに絞り込んだのだ。

もちろん、すべてが許せない暴言で、ひどく傷ついたし、できることならまとめて訴えたい気持ちはあったが、物理的にキリがないし、そもそも「デマの拡散」を問題視したいという思いからは、それらは外れていると感じた。

記者会見から数日も経たないうちに、早急に訴訟対象とするアカウントを精査する必要があり、再び、自分への誹謗中傷をすべて読み返すことになった。もうこの時には、まるで工場のラインのように、淡々と流れ作業のような気持ちで、心を無にすることができていた。各メディアの取材の際にも、「あのアカウントのあのコメント使えるな」と思えるほどに、慣れてきていた。

加害者のなかには、すでにコメントを削除した人、アカウント自体を消した人も多かったが、驚いたのは他の中傷者をリスト化して送ってくる人もいたことだ。罪滅ぼしのつもりかもしれないが、みんな、責任逃れをしたい人ばかりだということがすぐにわかった。

ＳＮＳは、さっきも書いたがアカウントが作りたい放題というだけでなく、都合が悪くなるとすぐに削除もできる。今回も、誹謗中傷するためだけのアカウントを作って、言いたい放題言った挙句、アカウントごと削除した人がけっこういる。これは、ＳＮＳの運営として果たしていいのだろうか？　ひと昔前のmixiのように招待制にしたほうがいいのではないかと思うくらいである。

削除した人は、「言うだけ言って逃げればいい」と思っているのかもしれないが、事件当日にすべてをスクショしてある。今さら消しても意味がない。これらのデータは、本当にとても大きな武器になった。

もうひとつ、私が驚いたのは、誹謗中傷するためだけに、わざわざアカウントを作る人が多くいたことだ。アカウント名は、私の実名の他、「ガラケー女」とかあおり運転をもじったようなもので、何度もコメントした後に削除されている。「どれだけ暇なのだろう」と本気であきれると同時に、あまりにも幼稚過ぎるネットの世界に対して、強い不安を感じた。

世の中ではよく「最近の若い子は」なんて言葉を使う中高年が多いが、今回、私が受けた誹謗中傷の多くはその「中高年」からだった。デジタルネイティブと言われる若者の方が、ネットリテラシーは高いのかもしれない。逆にその「中高年」へ、私が講師するから、リテラシーを高める研修を受けさせたいと思ったほどだった。

〈訴訟に持っていくためのポイント〉

- 記者会見などの意思表明は大きな意味を持つ
- 「リツイートしただけの人でも法的措置の対象となる」ことを強調
- メディアは心をえぐってくるけど、取材を受ける効果は大きい
- 「匿名は匿名ではない」ことを強調
- 訴訟対象を明確にする必要がある

第五章

立ちふさがる「壁」

1節　「情報開示請求」って何するの？

対象となる書き込みを絞り込んだら、いよいよ「発信者情報開示請求」の手続きとなる。誹謗中傷を書き込んだ本人の名前や住所を突き止めるプロセスだ。これができてはじめて、損害賠償請求や刑事告訴が可能となる。

私は、この手続きの一切すべてを、小沢先生に依頼した。先生にはどんな手続きなのかを多少は聞いたが（この本のためにインタビューにも応じていただいた）、実に煩雑かつ複雑な手続きだ。法律の素人が何とかなるレベルのものではない。

一部のＷｅｂサイトには、「民事上の請求権として認められているので、裁判を経ずに任意開示請求もできる」としているところもあるが、通信事業者もＳＮＳ運営企業も、任意の開示請求に応じることはまずない。結局のところ、裁判になる。「時間との勝負」の側面が強いので、最初から裁判にした方が早いのだ。

開示請求は大きく2つのステップに分かれる。（一）SNSや掲示板の管理者（Twitter、Instagramを運営しているFacebook、5ちゃんねるなどの運営・管理会社などのコンテンツプロバイダ）に対する開示請求と、（二）その情報（IPアドレスなど）をもとに、発信者が契約しているアクセスプロバイダに対する開

図　発信者情報開示請求の流れ

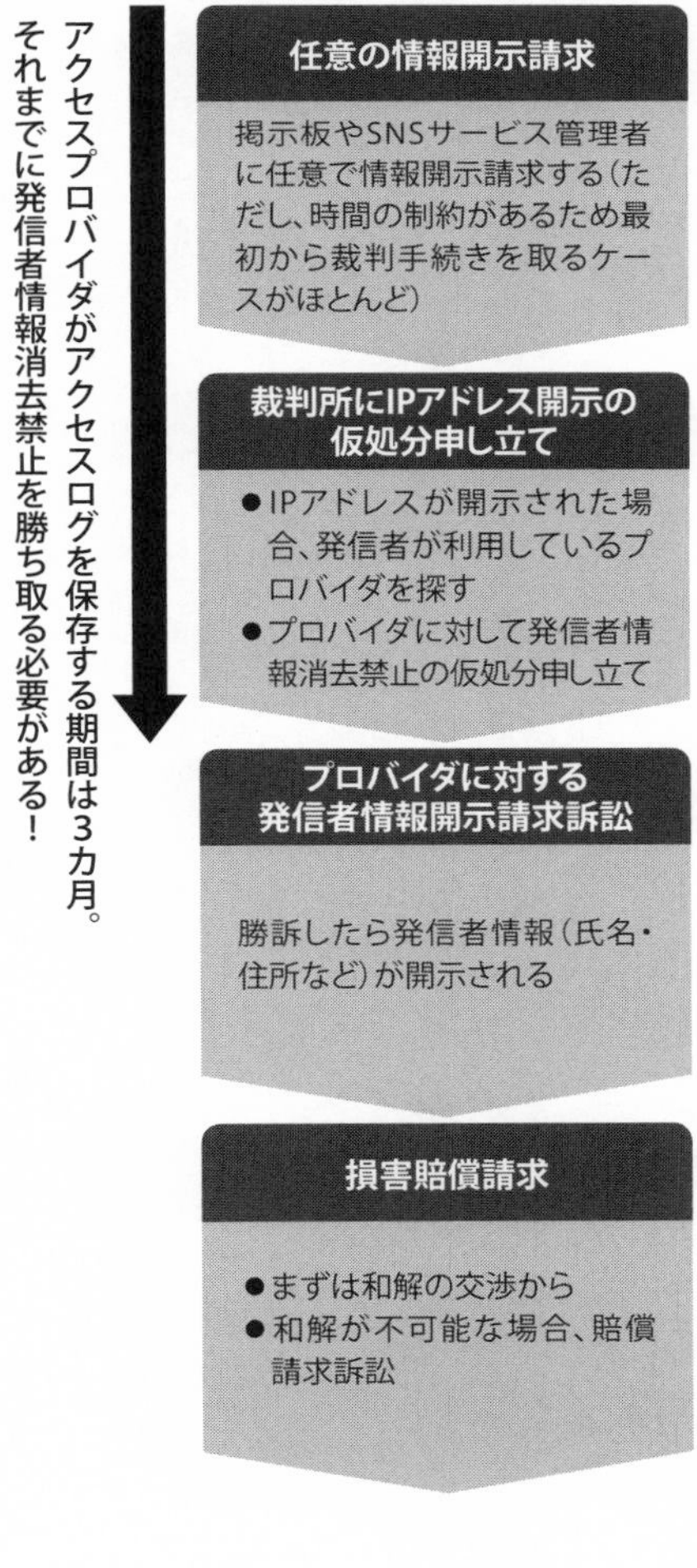
任意の情報開示請求
掲示板やSNSサービス管理者に任意で情報開示請求する（ただし、時間の制約があるため最初から裁判手続きを取るケースがほとんど）
裁判所にIPアドレス開示の仮処分申し立て
●IPアドレスが開示された場合、発信者が利用しているプロバイダを探す
●プロバイダに対して発信者情報消去禁止の仮処分申し立て
プロバイダに対する発信者情報開示請求訴訟
勝訴したら発信者情報（氏名・住所など）が開示される
損害賠償請求
●まずは和解の交渉から
●和解が不可能な場合、賠償請求訴訟
アクセスプロバイダがアクセスログを保存する期間は3カ月。
それまでに発信者情報消去禁止を勝ち取る必要がある！

示請求だ。

簡単に図にしてみたが、こんなに容易なものでは断じてない。詳しくは、一七四ページからの小沢先生のインタビューを読んでいただきたい。その複雑さ、煩雑さに驚かれることと思う。

確かに、ネットは匿名ではないのは事実だ。ただし、一般市民である被害者にとっては、その匿名の壁を打ち破るために、手間や費用の面で、もの凄く高い壁が立ちはだかっているのも事実である。

2節　訴訟って訴える方がキツい

女子プロレスラーである木村 花さんの件をきっかけに、ようやく政府が動きはじめていることはすでに書いた。おそらく、ネット上の誹謗中傷について、被害者が「訴えやすくなる環境」は、近々、整うはずだ。いや、そうなることを心から願ってやまない。

ただ、二〇二〇年一〇月現在、まだまだ訴訟へのハードルは実に高い。そもそも、どうして、被害者側が、こんなにお金と時間と労力を使わなければならないのか。自分の経験を踏まえてみても、このままではなかなか訴訟へ踏み込めない被害者が多いだろうと思う。

まず、弁護士費用がかかる。訴えるほどのダメージを受ける誹謗中傷は、加害者が一人ということはまず、あり得ないだろう。着手金とは別に、裁判の数だけ実費が発生するのだ。

具体的に記そう。弁護士への着手金と報酬金の他、Twitter社・Facebook社に対する各種証明書や申立書の作成・翻訳料、各種裁判手続き申立費用、仮処分担保金が最初に明示される。海外の企業でなければ翻訳料は発生しないと思うが、誹謗中傷事案の「舞台」となっているのは、多くの場合、Twitterで、翻訳料がスキップされることはあまりないだろう。

おそらく、大半の被害者は、その金額を聞いただけで気持ちが萎えるはずだ。私が一番最初に手付金のような形で支払った金額は一〇〇万円に満たないくらいだった。しかし、裁判へ持ち込むまでの調査にかかる金額と、事務作業の実費、結果としての裁判の数に応じた費用などが後で請求されるかと思うと、正直、気が気ではない。

お金だけではない。「いっさいを弁護士に依頼した」と書いたが、それでも手間と時間はかかる。

例えば、情報開示請求のためには、代理人弁護士への委任状が必要であり、その委任状への捺印と一緒に印鑑証明書が必要となる。何回役所へ行ったか、何十枚、印鑑証明書を発行したか、そして何回、弁護士事務所へ足を運んだか、もはや記憶にないくらいだ。平日の日中にこれだけ動くことができなければ、訴訟ができないのが実情である。

何よりもツラいのは、前章でも書いたが、何百件では済まない誹謗中傷の中から、訴訟対象のアカウントを絞るために、またイチから自分への中傷を読み返さなければならないということだ。私は、この時点で本当に心が折れそうになった。

あれからもう一年。まだすべての解決には至っていない。本当に、本当に、長い長い時間がかかっている。

私も、もちろん法律に関してはど素人である。誹謗中傷に関わる法律がどうこうなんて、まったく知らなかった。今回、自分の身に大きな事件が起きたことによって初めて法律と向き合った気がする。

経験者として、率直な思いを言えば、まったく被害者に寄り添った法律や制度ではない。その最たる要因が、「三カ月問題」だ。

インターネット上で謂れもない誹謗中傷を受け、そしてその投稿者を特定したいと思った場合、アクセスプロバイダのデータ保存期間が三カ月であることが多いので、事件発生から三カ月以内に、Twitter や Facebook など海外の企業に対して、ＩＰアドレスの開示を求め(訴訟)、勝訴して、その開示されたＩＰアドレスから国内のアクセスプロバイダへ個人情報の開示を求めなければならない。三カ月が過ぎれば、国内のプロバイダはデータを消去してしまう(自宅などの固定回線の事業者は一年を超えてもログを保有している場合があるが、モバイル系の通信事業者は三カ月程度のことがほとんど)。つまり、相手、加害者を特定するためには、まず「時間との戦い」ということになる。自身の名誉を回復するために与えられた時間としては、あまりにも短すぎる。

個人を特定するのに確認として使われるのがメールアドレスだ。ところが、最近はGmailなどのフリーアドレスを使用しているユーザーがほとんどなので、最後まで追いかけることが困難な場合が多い。総務省では「電話番号も開示対象にするべき」との議論が進み、実施されている。少しずつではあるが法律が変わっていく気配も感じられる。

もう少し詳しくいうと、Twitterをはじめとするコンテンツプロバイダは利用者の住所氏名に関する情報を保有していないことがほとんどだ。一方、モバイル通信事業者などのアクセスプロバイダは、投稿をしたときのＩＰアドレスをはじめとした投稿日時に関する情報を保有していない。

従って、まずはコンテンツプロバイダに対して投稿時のＩＰアドレスや日時、ＳＮＳの場合は、一定期間のログインをしたときのＩＰアドレスとログイン日時を仮処分によって開示してもらうことになる。ＩＰアドレスと投稿日時だけでは個人特定はできないので、簡易かつ迅速な仮処分という手続きを用いる。

一方、住所氏名、メールアドレス、電話番号の開示は、個人の特定に直結するため、よりしっかりとした審理が必要となるので、通常の民事訴訟により開示を求めることになる。その後、コンテンツプロバイダから得られた情報をもとに、アクセスプロバイダに対してIPアドレスや投稿日時（ログイン日時）から契約者の住所氏名、メールアドレスなど（二〇二〇年八月三一日以降は電話番号も含まれる）の開示を求める。なお、小沢先生によると「コンテンツプロバイダでも登録時にメールアドレスや電話番号を登録させるケースが増えているので、コンテンツプロバイダに対して仮処分ではなく、民事訴訟を起こすことで、これらの情報の開示を求めることもできる」という。

いずれにせよ、現状では、被害者がお金と労力を負担しすぎている。あくまで被害者なのに、どうしてこんなにお金をかけて、手間をかけて、神経をすり減らしながら加害者を特定するために奔走しなくてはいけないのか。お金がかからないことが無理ならばせめて、情報開示までのプロセスをもっと簡単にしてほしい。もっと被害者を守る法律や制度を作ってほしいものだ。当事者から言わせてみれば、今の法律は「加害者にこそ優しい」と言わざるを得ない。

何よりも、「ネット上の誹謗中傷」に対してもっと重い厳罰を下してほしい。

3節　またもや誹謗中傷の嵐

訴訟する、という意思表示をしたところで、いったんは加害者たちの謝罪とともに消えかけた誹謗中傷が、また再開された。

訴訟、そして損害賠償請求をする行為によって、「金銭目的の浅ましい行為だ」などという新たな誹謗中傷を生んだのだ。

「金の亡者」「しつこい女」「本物のガラケー女よりタチが悪い」など、お金儲けのために訴訟を起こしたのだと思われているようだった。

なんと、ある市の市議会議員に至っては、私のことを「最初に言い出した人と結託してお金を引き出そうとする新手の詐欺師であり、損害賠償請求は恐喝だ」とまで言いはじめたのだ。


まさか、ここでまた誹謗中傷を受けるとは思っていなかった。

正直、驚きや怒り、悲しみを通り越して笑ってしまった。どうやら少しメンタルが強くなったようだ。

何をしても、誰に対しても、ある一定数の「叩きたい人」がいるということを実感した出来事だった。


ここで、その愛知県豊田市の元市議会議員との訴訟について記しておきたい。

これまでの流れで、「匿名の投稿者」の特定には時間と手間がかかることはおわかりいただけただろう。そんななかで、この元市議会議員は最初から実名で書き込んでいた。しかも当時は、現役の市議会議員だった。その立場で、実名で、Facebookを利用しており、デマ情報の拡散に加担したのだ。

当初、「議員を訴えるなんて、金目的だ」と散々言われたが、決してそうではない。簡単に言うと、実名での投稿だったがために、すぐに身元が分かったから真っ先に訴えただけだ。

いや、そもそも最初から訴えようとはしていない。時系列で説明するとこのようになる。

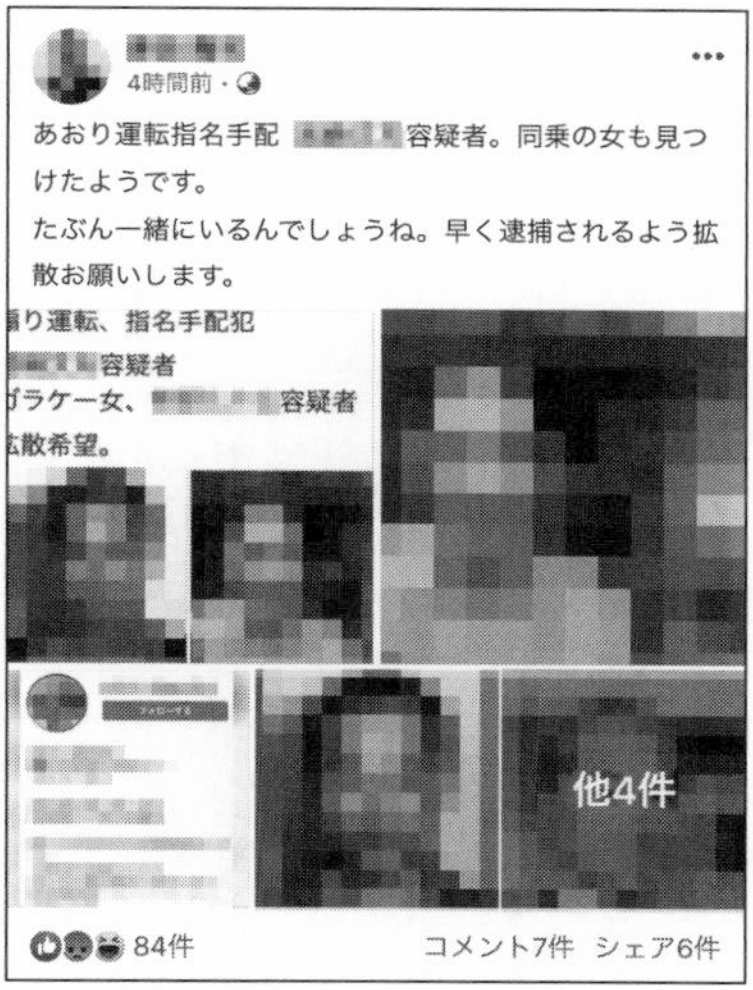
4時間前・
あおり運転指名手配　容疑者。同乗の女も見つけたようです。
たぶん一緒にいるんでしょうね。早く逮捕されるよう拡散お願いします。
容疑者
容疑者
他4件
84件
コメント7件　シェア6件

元市議会議員がFacebookに投稿したスクリーンショット。明らかに拡散を意図している

八月二七日　第三者からの情報提供で、元市議のFacebook投稿が発覚
八月二八日　元市議に慰謝料一〇〇万円の支払いを求める通知書を発送
九月一〇日　元市議から謝罪の手紙が届いたが、慰謝料に関する言及はなかった
九月一一日　元市議から「どのような要求でしょうか」とのメールが届く
九月一三日　「弁護士と相談することになりました」とのメールがあったが、その後連絡はなかった
一〇月一四日　その後連絡がなく、話し合いは煮詰まったと考え、弁護士と相談のうえ、元市議に対し民事訴訟する意向を固める
一〇月二一日　東京簡易裁判所に民事訴訟を提起。元市議から慰謝料について「お支払いすることはできかねる」との手紙が届く
一〇月二五日　東京簡易裁判所が、本件訴訟を東京地方裁判所に移送を決定
一〇月二七日　提訴の報道
一〇月二九日　元市議がFacebook上で謝罪動画を公開

一〇月三〇日　元市議が記者会見を開く
一一月　二日　元市議が辞職届を提出

八月三〇日に通知書は間違いなく、元市議のもとに到着し、先方は受け取っている。そこから連絡まで時間がかかったことについて、一〇月三〇日に開いた記者会見では「繰り返し小沢弁護士に電話をしたがつながらなかった」などと発言した。これについて、小沢先生は「通知書が元市議の元に到達した八月三〇日から一一日間にわたって、一切連絡がなかった」と指摘する。

初期の経緯を振り返ると、軽く見られていたという印象を受けざるを得ない。また、会見では元市議にさまざまな非難が集中したことによって、「相手(私)の気持ちが分かった」かのような発言があったが、私に対するものとは非難の質がまったく違う。

その後もずっと、「自分だけがやったわけではない」「どうして自分だけがお金を払わなければいけないのか」「自分だって被害者だ」などという発言が目立ち、まったく誠意を感じることができなかった。どう考えても、受け入れることができる謝罪ではないと判断した。

以下は、あるテレビ番組の取材に応じたときの私の回答だ。

▼市議（当時）の身勝手な正義感で、名前や写真が掲載された投稿をシェアしたことについてどう思われたか

「身勝手な正義感」が本当に正義なのか、疑問です。政治活動に使用していたというFacebookにおいて確証のない情報を発信する行為が、ご自身の立場を理解されていない印象を持ちます。

▼九月一〇日、市議から謝罪の手紙が届き、その中身が慰謝料の支払いに関する記載がなかったときに思ったことは？

適当に済まされている感じしか受けませんでした。

▼市議が自身のFacebookに謝罪コメントをのせた際に、当初、さはらさんの本名が記載されていたことについて

本当に何も分かっていないのだとあきれるしかありません。

▼慰謝料についてメールしたのに九月一三日以降、市議からの音沙汰ナシの件について。三〇日の会見では、視察などで忙しかったと答えていますが。

人のことを犯罪者呼ばわりしておいて、あまりにも優先順位が低いと思います。ご自身の対応に何も責任を感じておらず、軽く見られていた印象です。

▼「高額な慰謝料はお支払いしかねます」の手紙について

責任の重さを理解されていない印象です。

▼市議の「大勢の人が拡散している。私だけが支払う問題なのか、司法の判断を

仰ぎたい」という発言について

確かにあなただけではない。しかし、あなたにも責任がある。他の人がどうこうではなく、ご自身の問題にも関わらず、自分事として受け止められていない時点で不信感を抱きました。

▼市議がFacebookで六分ほどの謝罪動画をアップロードしたことについて、またその内容について

なぜFacebookで謝罪する必要があったのでしょうか。また、一方的に言いたいことを言っているだけでそれを会見を呼ぶのでしょうか。内容についても、謝罪ではなく「市民の皆様」への演説でしかなかったと思います。

▼市議の会見について、思うこと、気になることはあるか？

「私が補償することで、同じように拡散した皆さん一人ひとりに責任があると伝わると思うので、私は女性に誠心誠意対応したい」「時間的に厳しいので

Facebookで事前に報道機関向けに動画を配信した」「私にも大勢から無言電話や本当に怖い電話があり、女性の気持ちを身にしみて感じている」「私には子供たちや地域住民にＳＮＳを使う際の注意点を伝えていく役割がある」など、すべてが論点がずれているし、他人事と捉えている印象しかありません。

▼またその時点で議員続投の考えを表明していたが、どう思ったか？

状況判断もできずに噂話を拡散するような人が市のために何ができるのか疑問でしたが、そこは市民の方が判断すること。

▼和解を拒否した一番の理由は？

通知から二カ月も放置され、事が大きくなってから慌てて謝罪。しかしその内容にも誠意をまったく感じることができなかったため。

▼市議の辞職について思うことは？

辞職理由について「お詫びの時間がとれない、市民の皆様にご迷惑がかかる」と仰っていましたが、ここでも目を向ける先が違うように感じます。辞職したことについては、こちらから提示したものではないので何とも思いません。

▼元市議の二度目の会見について思うことは？　気がかりな発言などは？

「第一投稿者を洗い出したい」との発言について、それはこちらが言うことであって元市議が言うことではない。「第一投稿者のせいで自分がこうなった」と言っているように捉えられ、被害者意識が強いように見える。

▼今後、元市議にどのような対応を求めていくか？

当初おっしゃっていた「司法の判断」に対して真摯にご対応いただくことを望みます。

二〇二〇年八月一七日、事件からちょうど一年が経った日に、元市議に対する判決が次のように下された。

「元市議の投稿は女性の社会的評価を低下させるものとして三三万円の賠償命令を下す」

この元市議、当初から司法の判断を仰ぎたいと言っていたが、「女性はすでに複数人と和解が成立しており、被害に対してすでに弁償がされている」「嫌がらせを受けた事実は、今回のFacebookへの投稿とはまったく無関係で、因果関係を明らかにすべき」などと反論していた。率直に言うと、あきれた言い分だ。「みんなでやって他の人が弁済したから自分の分はチャラでしょ」と言っているようにしか思えない。想定外の反論だったので、ただただ、びっくりした。

今回の損害賠償命令で出された金額が三三万円。安すぎるとネットで騒がれていたが、私もまったく同感である。ネット上には「ここまでしても赤字じゃん」「その金額では抑止にならないよ」「三三万円払えばデマ拡散ＯＫってことだよね」「人をネットで晒しても三三万円でいいんだね」「人権って安いんだね」、などの言葉が飛び交っていた。

判決が下された日、私は法廷には行かず、小沢先生にお任せした。報道陣が来ていたら、囲まれるのが嫌だったからだ。

実際、東京地方裁判所のもっとも大きな法廷で、入り口では職員が入場整理していたほどだったという。

判決言い渡し前の数分間、法廷に入っているテレビカメラが撮影し、判決言い渡しの際には、判決理由の要旨の告知がされた。これらは、小沢先生いわく、「一般的な民事事件ではまず行われない」らしい。先生も、「弁護士生活一二年目になったが、このようなことは初めてで、改めて注目されていたのだなと感じた」とおっしゃっていた。

「先例となるような裁判所の判断がされることで同種の事案を抑制したい」との思いではじめた訴訟だったから、判決が下されたことに対して、先例をつくることができた点ではよかったと思う。相手側がずっと言っていた、「みんなやってるから」という共同不法行為ではないことが立証されたことも大きい。

現在の日本の法律や判例から見ると、賠償金が三三万円であることは妥当なのかもしれないが、果たしてこれが今後の抑止になるのかは疑問が残るところである。正直にいうと、三三万円では到底足りない労力とお金を使っている。この金額が相場であるならば、被害者側の負担を減らす制度を作ってほしいと切に願う。

〈第五章のまとめ〉

- 訴訟にはお金と時間と労力が必要
- 今の法律は被害者に優しくない
- デマに踊らされたからといって被害者にはならない

インテグラル法律事務所 シニアパートナー
弁護士 小沢 一仁 氏

中央大学法学部卒。2009年12月、弁護士登録。2014年9月からインテグラル法律事務所 シニアパートナー。離婚事件、著作権法・商標法等知的財産権に関する事件、法人・個人の任意整理・民事再生・破産事件、インターネット掲示板における誹謗中傷書き込みの削除および発信者情報開示請求、民事介入暴力に関する事件、マンション管理に関する事件などを扱う。近年は「ネットに強い弁護士」として弁護士ドットコムなど、メディアにも多数登場。

「被害者救済」までの長い道のり

本事案を担当し、この事案だけで一〇〇件以上のアカウントや書き込みについて民事訴訟手続きを進めつつあるのが、小沢一仁弁護士だ。ネット関連訴訟等誹謗中傷問題について長年にわたり携わっている。小沢氏は、被害にあったときの対処として、「とにかくスピード。一刻も早く加害者を特定する手続きを進めないと、すぐに手遅れになってしまう」と強調する。

――インターネットの案件を多く扱うようになったのはいつくらいからなのですか?

小沢　八年くらい前に、知り合いの会社経営者から、当時の2ちゃんねる(現在は5ちゃんねる)に悪口を書かれたと相談されたのがきっかけです。当時は、あまり積極的にネット案件を手掛ける弁護士は少なかったので、それこそネットの情報を探して、見様見真似で仮処分の申し立てや情報開示請求などをやってみました。実は、当時は2ちゃんねるが特殊な事件処理の方法を要したので、いちばん、手続きが面倒だったんですよね。それがうまくいったので、以降はその応用で対応できました。

——さはらさんの場合、対象となる書き込みの多くはTwitterやInstagramでした。いずれも海外の企業なのでかなり煩雑なのでは？

小沢　基本的な手順は同じです。まず、東京地裁に仮処分（発信者情報の開示請求）の申し立てを行います。その数日後に行われる裁判官面接を経て、裁判所の指示に従い申立書の副本を国際速達郵便（ＥＭＳ）で送ります。ただ、二〇二〇年現在は、コロナ禍であることを踏まえ、少し特殊な運用がされています。その後、双方審尋期日という、例えばTwitterならTwitterの担当者を裁判所に呼び出して意見を聞く手続きが行われます。双方審尋を踏まえ、裁判所が仮処分決定をすることが相当だと判断したときは、担保決定がされます。

——「担保」というのは?

小沢 「仮処分は、あくまでも簡易迅速な手続きによる仮の手続き」ということですので、後に本案訴訟という、正式な裁判になったときに、結論が引っくり返る可能性があります。仮処分決定がされたことにより損害が生じた場合、申し立てた側がこれを賠償しなければならないこともあるのです。そのときの支払いの担保のために、発令前に法務局に一定額を供託する必要があります。東京地裁の運用では、インターネット関係事件の場合、概ね一〇万円から三〇万円の範囲で担保金が定められます。

——なるほど。この段階ですでにお金がかかるんですね。そこからの流れは?

小沢　仮処分決定がされると、Twitter も Instagram（運営会社は Facebook）も、ケースによりますが早ければ一〜二週間でＩＰアドレスが開示されます。それから、ＩＰアドレスをたどってアクセスプロバイダを特定し、私の場合はまず、一般社団法人テレコムサービス協会のＷｅｂサイトにアップロードされている書式を利用して、任意の発信者情報開示請求をします。通常、発信者が開示に応じると回答をしない限り、アクセスプロバイダは開示に応じませんので、併せて、仮に発信者情報の開示を拒否する場合でも、その後の訴訟のために、当面のあいだ発信者情報を保存しておくように依頼します。そのうえで、発信者情報が任意に開示されなかったものについて、発信者情報開示請求訴訟を起こし、これに勝訴すると、ようやくアクセスプロバイダから発信者情報が開示されるという流れです。

——ここからようやく、損害賠償請求するということですね。

小沢　もう少し複雑です。通常は発信者に対して損害賠償請求をしますが、このときにも、被害者側の被害感情と、加害者側の加害意識に差があることが多く、金額が折り合わず、和解に至らないこともあります。被害者側は最低限、手出し（持ち出し）がない程度の金額を欲しいと思うことが通常ですが、それが60万円とか70万円、あるいはそれ以上になることが多いのです。加害者側にとっては高額となるため、和解できない事案の方が多いように思います。和解ができなければ、ここではじめて、発信者に対して損害賠償請求訴訟を起こします。いわゆるネットリンチ事案で多数の発信者の特定を試みる案件では、その間、被害者や私にも、膨大な労力が必要となります。さはらさんの場合、プロバイダだけで数十もあって、一度に一〇枚単位で委任状や印鑑証明書をいただいていましたが、それでも何度も追加をお願いすることになり、かなりお手数かけました。

――とんでもなく煩雑ですね……。

小沢　手順を知っている弁護士だから、いちいち調べなくても作業を進めることができるので、比較的、短期間で処理することができますが、仮に今回の件を一般の方が自力で行おうとしても、まず不可能です。Twitterなどのコンテンツプロバイダがログを残している期間はまちまちですが、この点をおくとしても、SNSを使用する際に用いられることが多いモバイル通信事業者やアクセスプロバイダのログ保存期間は概ね九〇日前後です。この間に、上記の手順をすべて処理していては、まず間に合いません。今回の件も、私が一度に沢山のアカウントについて開示請求をしたこともあって、InstagramもTwitterも、ログが開示されたのは保存期間が切れる一～二週間前でした。そこから延べ数十社に対する任意の開示請求書を作成し、郵送する作業は本当に時間との勝負でした。当然、私も本件以外に何十件もの事件を抱えていましたし、本件を受任したことはほかの依頼者には何も関係ないことですから、すべての事件を予定通りこなしつつ処理をしなければならなかったため、日々深夜まで、食事を取る時間も削りながら作業をしました。そこまでして何とか処理できたという状況でした。

――加害者を特定するための手順は、これですべてですか?

小沢　いいえ。アクセスプロバイダによってはまだ手順が必要になることがあります。これらの資料を送った後も、従来は「投稿したときに接続したIPアドレスと投稿日時」だけで特定できていたのに、投稿時にデータを送信した先のIPアドレス(接続先IPアドレス)や、投稿時に接続した先のURLを特定するように指示されることもあるのです。二〇二〇年九月現在、携帯電話大手三社はすべて特定を求めてきます。ところが、これを特定するには、プログラミングの知識も必要になります。私はプログラミングとは無縁でしたから、最初にこれが問題になったときには、かなり焦りました。今では勉強して、少なくとも接続先IPアドレスなどを特定できる程度の知識は得ましたが、プログラミングなどの知識がない方がいきなりこのような問題にぶつかったときには、相当な困難に直面すると思います。インターネット上では、各コンテンツプロバイダの接続先ＩＰアドレスを公表しているところもありますが、実際の手続きでは、それをどのような手順で特定したのか、資料で説明しなければなりませんので、結論だけ知っていても先に進めません。

――とても一般人には無理ですね。

小沢　確かに、ネットの誹謗中傷事案で加害者を突き止めることは不可能ではありませんし、「ネットは匿名ではない」というのはその通りです。しかし、膨大な時間と手間がかかるのは、報道で指摘されている通りです。むしろ、年を追うごとに難易度が増している印象です。

「犯人が逮捕される前に声明文を出す」スピードこそが最大の要点

——さはらさんの事件を聞いて、最初にどう感じましたか。

小沢　一般的な誹謗中傷事案との決定的な違いは、「まったくのデマ」という点です。いきなり火をつけられたようなものですから。最初、私が知人の弁護士から本件の紹介を受けたときは、Twitterのトレンドに関連ワードが複数表示されており、ツイートはさはらさん批判一色でした。ですから、本件を受任して名前を出したら、私も巻き込まれて誹謗中傷の対象になるだろうなと思いました。ただ、この点については男性が指名手配されていたので、近いうちに逮捕されるだろうから、そのときにデマだと分かれば誹謗中傷はおさまるだろうと考え、（受任をするにあたり）大きな障害にはなりませんでした。

――では、躊躇せずに受任しようと思われたのですね。

小沢　ただ、受けるとしても、これはデマです、法的措置を検討しますと強い態度に出た後に、万が一にでも、さはらさんが本物のガラケー女だということが発覚したら、とんでもない事態になります。なので、本当にデマなのか？　という考えは一瞬、頭をよぎりました。しかし、知人の弁護士はさはらさんの人となりを知って私に紹介したでしょうし、人格的な部分では信用できるだろうということと、そもそも、トラブルを起こした男性が指名手配されているのに、同乗していた女性がわざわざ弁護士伝いに私に連絡してきて、デマをなんとかしてほしいなどと相談するはずがないことから、本物のガラケー女の可能性はないと判断しました。

――ホームページに声明文をすぐに出されたのは先生のアドバイスですよね？

小沢　そうですね。明らかなデマですから、弁護士の名前を出して、法的責任を追及するというところまで踏み込んだ声明文を出すべきだと思いました。出すタイミングは「（容疑者が）逮捕される前」だと考えました。逮捕されると、そちらに報道が集中してしまい、デマそのものが忘れられ、名誉を回復するタイミングを逸することになります。それでも、書き込みも広まった顔写真も半永久的に残るし、信じてしまった人間は信じたままです。ネット上の誹謗中傷に対する名誉回復は、一概に早ければ良いというものではなく、事案ごとの状況に応じて判断すべきだと思いますが、本件では早いほうが良いと判断しました。

訴える基準は「被害者次第」も〝執拗さ〟は大きな要素

――元市議会議員への訴訟ですが、損害賠償三三万円という判決については。

小沢　想定していた金額の範囲内でした。確かに、書き込みによってさはらさんが受けた精神的・物理的なダメージや、訴訟に至るまでの労力に対して考えると安いと思います。しかし、投稿内容自体は、ネット上で流れていた情報を転載することが中心的なもので、さはらさんの人格や風貌などを貶めるようなものではなかったので、リツイートに近い性質のものだと思っていましたから、高額にはならないだろうなと考えていたのです。インターネット上の誹謗中傷事案の慰謝料はほとんどが少額にとどまりますが、これは今後の事案の蓄積により改善できるよう、我々が努力しないといけないと思っています。

——この事案以外の訴訟については？

小沢　メールなどで自発的に謝罪してきた人たちとの間で複数件の和解が成立しています。それ以外に約一〇〇件のアカウントや書き込みについて、開示請求の手続きを進めています（二〇二〇年八月現在）。

——書き込みそのものは何万件もあったわけですよね。訴訟に関して、どんな書き込みが対象になったのでしょうか。

小沢　何万件に対して全部対応するのは不可能ですから、絞り込みが必要です。では、どのような基準で絞り込んだかというと、これは、さはらさんの事案に限らず、すべては被害者の主観によります。今回は、Instagramについてはさはらさんが全コメントをスクリーンショットで残してくれていたので、そこから絞り込むことにしました。Twitterは、私の方で、「これなら責任追及できる」と判断したものを、二〇一九年八月一八日の日曜日だったと記憶していますが、丸一日かけて保存しました。その後、さはらさんに対象とする記事を選んでもらい、責任追及は難しいだろうと思われるものを除外して、最終的に対象記事を決めました。絞り込みの基準は、Instagramについては、一人で何度も書き込んでいる人物がいたので、そのような執拗さを重視しました。その他には、人格を非難するもの、容姿を非難するものもとりあえず対象に含めました。その過程で、なぜかさはらさんを詐欺師と指摘するアカウントもいたので、これも多少、含めました。さはらさんとしては、とても辛かったと思いますよ。自分への誹謗中傷をまとめてチェックさせられるんですから。

――リツイートについては。

小沢　本件でもっとも被害が拡大した原因はリツイートでしたの

で、社会への警鐘を鳴らす意味も含め、責任追及の対象にすることにしました。リツイートした元になるツイートの文面を、自分のツイートとして発信するわけですから、理屈上は責任追及することは可能だと思いました。これまでに既に、リツイートをした複数人から賠償金の支払いを受けました。この間、元大阪府知事の橋下徹氏がリツイートを問題にした件で、リツイートの場合でも法的責任を認める判決が出ていますから、今後は法的責任を負うことがあるということは、スタンダードになるのではないかと思います。

——刑事訴訟については。

小沢　いま、動いている案件があります。捜査情報を公にすることはできないので、詳細はお話しすることができません。

——警察については、どうお考えですか。さはらさんもスマイリーキクチさんも、北九州市の石橋秀文社長も、最初はほとんど門前払いでした。

小沢　基本的に、あんまり扱いたがらないのは事実だと思います。ほとんどは本人特定ができていない段階なので、これを調査するためには、令状を取得したりしなければならないようで、警察側にも大きな負担がかかります。ましてや海外のサイトだと、令状自体取得できないようです。そもそも、ログ保存期間は警察が捜査する場合でも問題になるので、「投稿されてから三カ月以内に必要な捜査をしろ」と言われても、緊急案件でもない限り、なかなか難しいのではないでしょうか。

——サイバー捜査はかなり強化されているように見えますが、それでも限界がある、ということですね。

小沢　ですから、私どもがその一番重いハードルを取り除いてあげる、つまり被害者側で発信者を特定したうえで相談に行くようにしています。仮に途中で特定作業を継続することが困難になった場合は、そこまでに知り得た情報を持って相談に行くようにしています。

なかにはインターネットに疎い人が担当になることもありますから、そこは、私の方で必要な知識を提供します。そういうことを伝えると、動いてくれる傾向にあると思います。ここ二年くらいで警察に相談に持ち込んだ案件では、技術的に不可能というケースを除き、門前払いをされたことはありません。

あまり期待できない？ 法改正による手続きの簡略化

――木村花さんの事案がきっかけで、法改正が進みそうな気配もありますが。

小沢　今のところ（二〇二〇年九月現在）、発信者情報に電話番号が加わっただけです。しかし、そもそもコンテンツプロバイダが発信者の電話番号を把握しているのかという問題がありますし、主要SNSはほとんどが海外に本社を置くため、手続きに非常に長い期間を要します。二〇一九年に起こした訴訟では、新型コロナウイルス感染症拡大の影響もありますが、まだ訴状が日本国内に残っていたり、出されていても期日の指定がされていなかったりする状況です。このままでは、改正の実効性があまり期待できないので、従来のＩＰアドレスから特定する流れが当面、続くと思います。発信者情報のあり方についてはその後も議論は続けられていますが、ハードルを低くしすぎると濫用を招くので、慎重論も多いようです。コンテンツプロバイダの負担や個人情報保護法との関係で、不要な個人情報は消去するようにとされていることもあり、ログ保存期間を法律で定めることは期待できない状況です。あとは発信者情報に加わる可能性があるとすれば、投稿直前のログイン時の情報でしょうか。

――やはり弁護士のスキルにネットの知識が求められる時代ですね。

小沢　この分野についてはそうだと思います。また、頻繁に状況が変わるので、ある程度定期的に件数をこなしていないと、開示に失敗する可能性があるとも思います。しかし、スキルといっても、法的主張の出来不出来ではなく、このケースだとこういう手順を踏まえれば特定につながるなど、手続き的なノウハウが大部分を占めます。ですから、この手続き面の整理を本当に何とかしてほしいですね。せめて、必要な手順を踏んだらすんなり開示されるような状態になってほしいと強く思います。さはらさんの件についても、まだまだ先は長いですが、少しでも早く被害者が救済できる環境になるように活動していきたいと思います。

第六章

「一億総加害者」時代への警鐘

1節　永久に残る情報（デジタルタトゥー）

私が体験したこの事件は、「犯罪者を懲らしめたい」という思いで多くの人が誹謗中傷の投稿を流したのだと思うが、たとえ正義感に基づく行動でも、無関係の人を傷つければ、違法行為になる。言われもない誹謗中傷を受けた心の傷が癒えることはないし、晒された情報はインターネット上に永遠に残る。実際に、今もなお、その情報を信じ、私のことを「ガラケー女」だと思っている人もいる。

しかし、被害者になることよりも加害者になる方が辛いのではないかと、私は思う。さらに、加害者、あるいは犯罪者の家族として生きていくことはもっと苦しいはずだ。だから、リツイートボタンを押した「だけ」で犯罪者になる可能性があることを、すべてのネットを使う人たちに知ってほしい。「ネットは匿名が守られる」と信じている人がまだ多いようだが、きちんと手続きをすれば（とてつもなく煩雑な手間とお金もかかるが）、個人の特定はできる。もはやネット上において匿名は匿名ではないということを知ってもらいたい。

今回の件は、ＳＮＳを利用している、していないを問わず、誰にでも起こり得ることである。私や石橋社長、スマイリーキクチさんのような被害者ではなく、加害者にもなり得る。ＳＮＳを使っていると、加害者になる確率の方がずっと高いはずだ。周りの情報に流されないでしっかり自分の頭で考えて、投稿前にひと呼吸おいて、その後に何が起きても責任を持てると判断したうえで、ＳＮＳを活用するべきなのだ。

今年（二〇二〇年）は、とくにネット上のデマや誹謗中傷事案がひどく多かったように思う。春先にはじまった新型コロナウイルス感染症の猛威は、さまざまなデマの拡散をも招いた。あらゆる小売店からトイレットペーパーやティッシュペーパーが消え、科学的な根拠がない、「お湯を飲むと感染しない」「納豆を食べると予防できる」といった噂が流れた。さらに、みんながクラスター特定に躍起になり、感染者はまるで犯罪者扱い。連日、ワイドショーで取り上げられることで、さらに火種は大きくなり、ときには感染者でもない、まったく関係のない人たちが、ネット上で吊るし上げられ、いわれのない誹謗中傷を受けていた。

例えば、五月に山梨県の二〇代女性が、感染したことを隠して高速バスに乗車した事案があった。「コロナを撒き散らしている」として、ネット上で批判が集中。やはり「犯人探し」が横行し、実名や顔写真とされる真偽不明の情報が拡散した。このときも、私の場合と同じく、「トレンドブログ」が拡散に一役、買っている。また、女性の勤務先として名指しされた飲食店が、「当社関係各位に感染者は確認されていない」と発表。風評被害を被っている。私や石橋社長のケースと酷似しており、あまりの進歩のなさに本当にがっかりした。

そして五月には、女子プロレスラーの木村花さんが、膨大な誹謗中傷を受け、自ら命を絶ってしまった。なお、この件については、一二月、大阪府の二〇代男性が中傷を含む投稿をしたとして、侮辱容疑で書類送検されている。今後、さらに加害者が特定され、同じ処分が下される可能性が高いだろう。

二〇一九年に山梨県のキャンプ場で女の子が行方不明になる事件が発生した件では、その母親に非難が集中した。そして、誹謗中傷を繰り返した男性が逮捕されるに至った。突然、最愛の娘さんがいなくなって憔悴しきっている母親に、犯人扱いの中傷をするなんて人として信じられないし、まったく理解できない。

もう、いい加減、やめませんか？

デマを拡散したり、誹謗中傷をすることで、誰が得をする？　誰が喜ぶ？　誰かが幸せになる？　答えはすべてＮｏではないだろうか。誰も、何も得ないし、何も生まない。結果的に残るのは、傷つけられた心と、永遠にネット上に残るデマ情報だけだ。

考えられる具体的な対策として、被害者に寄り添った法改正はもちろんだが、そろそろ「ネット上の言論の自由」を、ある意味においては制限するような取り組みも必要なのでは、と思う。例えば、「死ね」とか「殺す」などのワードが投稿された場合、AI（人工知能）が自動的に「本当にその投稿を実施しますか」などのアラートを出して、ひと呼吸おく、つまり考えさせる機会を設けるなどの仕組みによる対策だ。実際に、国内の一部のSNSでは、かつては人間が目視で行っていた売春・買春などが疑われる投稿や法律的に問題がある売買などに関する書き込みを、今はAIがチェックしているという。誹謗中傷の投稿（デマ投稿は難易度が高くなると思うが）を防止できる技術が存在するのならば、事業者も積極的に採用を考えてほしいと切に願う。

すでに記したが、政府もネット上の誹謗中傷対策に本腰を入れつつある。総務省は、二〇二〇年九月、インターネット上の誹謗中傷に関する注意事項も含めた「インターネットトラブル事例集(二〇二〇年版)追補版」を公表。ＳＮＳへの投稿やリツイートなどで個人を攻撃する問題点や、誹謗中傷被害の対処方法などをわかりやすく解説している。

特集④ こころ・からだ・いのちを守るために！
SNSによる誹謗《ひぼう》中傷被害への対処方法

SNS上で言い争ってしまうと、さらに悪化してしまう可能性もあります。
設定を見直す、信頼できる人・窓口に相談する等、冷静に対処しましょう！

炎上投稿に直接参加する人は、ごく限られた一部に過ぎないという研究結果もあります（令和元年版 情報通信白書）。
「誹謗中傷は多数意見ではない」「世の中の人全てが攻撃しているわけではない」ということを、思い出してください。
それでも、もし、保護者・先生・友人には相談しづらいと思ったときは、専門の窓口を積極的に利用してください。

その❶ ミュートやブロック等で距離を置く

攻撃しているのはごく一部だと分かっていても人は傷つきます。まずはできることからやってみましょう

その❷ 人権侵害情報の削除を依頼

とりあえず“見えなくする”設定に

よく使われるSNSには、やり取りをコントロールする機能が備わっています。**相手に知られずに投稿を非表示にする機能（ミュート）**をうまく活用しましょう。**つながり自体を断つ機能（ブロック）**もありますから、深く傷つく前に「見えなくする」ことをお勧めします。

また、**返信やコンタクトができる相手を制限できる機能**もあります。それぞれ、名称や操作方法等はサービスやアプリによって異なります。調べて確認しながら使ってみてください。

設定

削除依頼の流れ

お願いします！

⓪ 可能な状況であれば、投稿者に削除してほしいと連絡してみる（無理は禁物）

① 該当する投稿のURLやアドレスを控える【画面（=スクリーンショット）や動画の保存も重要】

② 「通報」「報告」「お問い合せ」など削除依頼等ができるページやメニューを探す

③ フォームに従って必要な選択・入力を行い漏れがないか内容を確認して、送信！

発信者の特定も可能 ミュートやブロック、削除依頼だけでは解決しない場合、匿名の発信者を特定して、損害賠償請求などを行うことも可能です。発信者開示請求を行いたい場合は、弁護士にご相談ください。

困ったら、傷ついて辛かったら、1人で悩まず相談を！

その❸ 信頼できる機関に相談する

電話、メール、各種SNS、Webチャット等を使って、誰にも知られずに相談することができる公的窓口はいろいろあります。**1人で抱え込まず、相談してみましょう。**

- インターネット違法・有害情報相談センター https://www.ihaho.jp/ （総務省支援事業）
  専門の相談員が、誹謗中傷の書き込みを削除する方法などについて丁寧にアドバイスします。ご自身で削除依頼を行っていただくための迅速な対応が可能です。
- 法務省「インターネット人権相談窓口」 https://www.jinken.go.jp/
  法務省の人権擁護機関（法務局）ではインターネットでも人権相談を受け付けています。削除依頼の方法について相談者に助言を行うほか、内容に応じて、法務局からプロバイダに削除要請を行います。
- 厚生労働省「まもろうよ こころ」 https://www.mhlw.go.jp/mamorouyokokoro/
  もしもあなたが悩みや不安を抱えて困っているときには、気軽に相談できる場所があります。電話、メール、チャット、SNSなど、さまざまな相談窓口をご紹介しています。

●『インターネットトラブル事例集（2020年版）』は、総務省ホームページで公開中。
http://www.soumu.go.jp/main_sosiki/joho_tsusin/kyouiku_joho-ka/jireishu.html

#NoHeart NoSNS

● ハートがなけりゃSNSじゃない！『#NoHeart NoSNS』特設サイト
https://no-heart-no-sns.smaj.or.jp/ も、併せてご活用ください＞＞＞

出典：総務省

❖ 人格権を侵害する投稿・再投稿

⑳ SNS等での誹謗《ひぼう》中傷による慰謝料請求

有名人の悪口を匿名で投稿したら

発信者が特定され高額の慰謝料請求へ

発信者情報
開示請求
名誉毀損罪
脅迫罪
業務妨害罪
損害賠償
侮辱罪
慰謝料請求
法律事務所
訴状
こいつマジ気に入らない！SNSに匿名で悪口を書いて嫌がらせしてやろう
こんなことになるなんて…

テレビやネットでの言動が**気に入らない有名人の悪口を匿名投稿**したW君。同調する投稿も増え、根拠のない悪口など嫌がらせがネットに広まった。

W君が発信者だと判明したことから、虚偽の投稿内容により名誉を傷つけられたとして、**慰謝料などを求める訴訟（裁判）を起こされてしまった。**

考えてみよう！

一緒に考えてみよう！ インターネットトラブル事例集2020年版
③メッセージアプリでの悪口・仲間外れ

いら立ちを覚えたり、自分の中の正義感が高じたりして、過激な投稿で個人攻撃をする人がいます。こうした加害行為（再投稿※も含まれる）をしないために注意したいことは？

※再投稿：共感したり気に入ったりした情報をそのまま投稿して他者に広める行為。サービスにより「リツイート」「リグラム」「リポスト」他と称される。

A.誹謗《ひぼう》中傷≠批判意見

多くのSNSサービスには「誹謗中傷禁止」という利用規約があります。相手の人格を否定する言葉や言い回しは批判ではなく誹謗中傷です。正しく見極め、安易に投稿・再投稿をしないで。

B.匿名性による気のゆるみ

対面や実名では言えないのに、匿名だと言えたり攻撃性が増したりすることも。たとえ匿名でも、技術的に投稿の発信者は特定できるため、民事上・刑事上の責任を問われる可能性が…

C.カッとなっても立ち止まって

怒りは人の自然な感情ですが、はけ口にされやすいのがSNS。炎上したり訴えられたりしてから「あんな投稿しなければよかった」と悔やんで時間は戻せません。書いた勢いで送信しない習慣を！

解説　「目立つ存在なんだから仕方がない」という主張は通用しない

SNS上で、悪意を感じる投稿を見かけることがあります。中には「正義感からやったこと」と主張する人もいるようですが、**"立場"や"事実かどうか"を問わず、人格を否定または攻撃するような投稿は正義ではありません。**

近年、YouTuber、事件・事故の関係者、感染症の陽性者ほか、『有名な人』と感じる範囲が広がると共に、主体的に投稿する人以外の"安易に再投稿・拡散する人"も増えています。たくさんの悪口が集まれば、集団攻撃となり人を酷く傷つけます。相手がどのような人であっても、単に再投稿しただけであっても、**民事上・刑事上（損害賠償請求、名誉毀損罪による懲役、侮辱罪による拘留 等）の責任を問われる可能性があります。**このことを肝に銘じて、法律や利用規約等のルールやモラルを意識した、正しい利用を心がけましょう。

ワンポイントアドバイス

誹謗《ひぼう》中傷は、再投稿者でも"広めることに加担した"とみなされます。投稿・再投稿する前に必ず「自分が言われたらどう思うか」を考えて！

出典：総務省

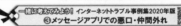

2節 「他人の感情を読む力」を取り戻す

そもそも、人を攻撃する人は、自分に自信のない人が多いのでは、と思う。小心者で弱い性格だから、自分を大きく見せたいという心理が働き、結果、攻撃的になる。以前、心理学を学んだときに、そう教わった。しかし、その攻撃をネット上で四六時中、匿名で、見ず知らずの人間に向けられたら、被害者はたまったものではない。心の弱い人は、他者の弱さを理解することはできないのだろうか。どうか、矛先にされた人の痛みを想像してほしいし、感じてほしい。もし、それを感じない、あるいは攻撃されて生命を絶った方に対しても何も感じないのであれば、メンタル面に大きな問題があるのではないだろうか。クリニックに行って、治療を受けるべき状態だと思う。

今の世の中、ネットかリアルかを問わず、あまりにも「自分中心」の人が目立つ気がする。混み合っている駅などで、人を避けることをせずにぶつかって歩くし、ちょっとしたことですぐに怒鳴る人が増えたと感じる。ぶつかった女性を追いかけて蹴った男性を目の前で見たときは、本気で「この人は心を病んでいる」と思った。私自身、電車を降りるときに、乗ってくる人から「邪魔だ」と言われて殴られたことがある。座りたい一心で早く乗り込みたかったのだろうが、本来のルールでは、降りる人が先のはずだ。そのときはあまりに理不尽すぎて理解が追いつかず、何の反応もできなかったことが悔しかった。たまたまかもしれないが、こういう攻撃をする人は、私の生活圏内においては、中高年が多い印象がある。

技術が進歩し、人々の生活が豊かになっていく一方で、顔を合わせないコミュニケーションに慣れてしまった人たちが、「相手の感情を読まない」ようになってしまった気がする。世の中が殺伐としている原因がインターネットの普及であるのならば、それを生業としている立場からすると、とても悲しい。パソコンやスマホといった「デバイス」のその先にいる「人」を思いやる心を忘れずにコミュニケーションをする必要がある。そして、私たち大人は、次の世代を担う子供たちに、その方法を教えなければならないのだ。そうじゃないと、これから先、もっと殺伐とした世の中になる。もっと多くの被害者と加害者を生んでしまう世の中になってしまうのではないだろうか。

あとがき
～被害者となって感じたこと

ある日突然、自分が犯罪者扱いをされた。

それをこうして本にするなんて、あの時は思ってもいませんでした。というよりも、自分の人生において本を書くなんて、考えたこともありませんでした。初めての執筆……。難しいですね。もともと、文章を書くことが得意ではないことに加え、事件から時間が経っていたので記憶が薄れているところもあり、当時のニュースやワイドショーの録画を再度チェックしたり、誹謗中傷のコメントをまた読み返したりと、なかなか大変な時間となりました。

突然、降りかかったネット上のデマ情報拡散による誹謗中傷の被害。誰も予想しないことが、実際に自分の身に起こることもあるということを体感しました。これを、なかなかできない「貴重な体験」として前向きに捉えられるかはさておき、体験したからこそわかったことや見えたことがあるのも事実です。

デマ被害は、誰にでも起こり得る事件だということ。実際に被害にあった場合、何をしていいのか分からない、判断できないということ。情報開示までのプロセスが煩雑で泣き寝入りするしかない場合が多いこと。加害者特定には時間とお金がかかるということ、などです。そして何より、被害を受けるよりも「加害者」になる可能性の方が大きいということです。

ほとんどの人が、まさかリツイートボタンを押しただけで「犯罪者」になるかもしれないなんて、思ってもいないでしょう。実に簡単に、軽い気持ちでSNSを利用することができます。Twitterを利用している人は多いですが、今はTwitterやFacebookよりもInstagramの方が発信力が大きかったり、TikTok

やYouTubeといった動画発信が注目されていたりと、流行りのソーシャルメディアも常に変化しています。使うメディアが多くなるほど拡散力も高まりますし、個人の意思表示や発信・発言が増えれば増えるほど「加害者」になるリスクは高いのです。

SNSは、簡単な登録で、身近な友人や知人だけではなく世界中の人に向けて、自由に発信ができます。その一方で、自由の意味をはき違え、人を不幸に陥れる悪質な投稿が後を絶ちません。

「言葉を自由に発する」ことの意味を十分に理解する必要があるのではないでしょうか。学校で習っていないから、誰も教えてくれなかったから、だから「知らない」では済まされません。インターネットがこれだけ身近にある今の時代に、絶対に被害者にならない方法はないかもしれませんが、加害者にならない方法はあります。

きちんと知識をつけて、リテラシーを高めること。安易に人を攻撃しないことはもちろんですが、新奇性のある情報を目にした時に、誰が言ったのか「出所を確認」することと、自分の言動に「責任を持てるか」をよく考えて判断することで、加害者になるリスクを防ぐことができると思います。念頭に入れるべきは、「実名でできないことは匿名でもやってはいけない」ということです。自分だけではなく、家族や大切な人のためにも、一人ひとりがこれを意識してＳＮＳを活用してください。

そして、もし被害にあった場合は、すぐに弁護士などの専門家へ相談しましょう。それも、なるべく早くです。専門的な知識を持たない私たち一般人があたふたしても、何も解決しません。私には、経営者の知り合いが多数います。それでも、誰も経験のないことだったため、誰に聞いても回答が得られず、専門家に頼る必要があるのだと実感しました。本書で述べた通り、「時間との勝負」の部分があるので、できるだけ早く専門家へ相談してください。直接、知っている弁護士の先生がいなくても、国の機関で相談窓口があります。窓口の一例を次のページに記しますが、実際に事件に巻き込まれてからではなく、あらかじめ目星をつけておくといいかもしれません。対処方法を知っていたら、私のようにパニックになることはないと思うのです。

警察に関しても、相談窓口を明確にしてもらえると嬉しいと思います。サイバー犯罪対策課がある警察署に行かなければ対応してもらえないというのは、とても大変です。被害にあったとき、おそらくほとんどの人が、近所の警察署に行くと思うのですが、誰に伝えればいいのか、担当の窓口が何課なのか分からないのです。こういった事案は今後、増えると思います。まず、一次対応のための窓口を明確にしてくれるだけで、その後の流れも変わると思います。これは、経験者としてぜひ警察署へお願いしたいことです。

二〇一九年八月一七日～一八日の二日間は、私にとって悪夢の二日間となり

主な相談窓口一覧

ネットトラブルの専門家が対応

総務省「違法・有害情報相談センター」
https://www.ihaho.jp/

削除要請・助言

法務省「インターネット人権相談受付窓口」
https://www.jinken.go.jp/

プロバイダへの連絡

セーファーインターネット協会「誹謗中傷ホットライン」
https://www.saferinternet.or.jp/bullying/

日本司法支援センター「法テラス」
https://www.houterasu.or.jp/

都道府県警察本部のサイバー犯罪相談窓口一覧
https://www.npa.go.jp/cyber/soudan.htm

ましたが、それでも本当に多くの方が励ましてくださり、寄り添ってくれました。情報提供をしてくれる方や、専門家の方へつないでくれる方など、多くの方に支えられていることを実感し、人の温かさを知った二日間でもありました。戸惑いや恐怖、怒りといった感情を超える、「感動」すら覚えました。この場を借りて、すべての方々へ、お礼を申し上げます。本当にありがとうございました。

私は、ＳＮＳによって傷つき苦

しみましたが、同時にSNSによって助けられ、救われました。決してSNSが「悪」なのではありません。凶器になるか、人生を豊かにするツールになるかは、使う人の倫理や意識によります。包丁と同じです。美味しい料理を作るための器具ですが、使い方を誤れば人を刺す凶器になります。しかし、刺されることが怖いからという理由で包丁を使わなくなる人はいないでしょう。それは、正しい使い方を知っているからです。同様にSNSも、使い方を知る必要があります。現在、明確な利用方法のルールはありませんが、個人の意識・知識を上げていくことで、人を傷つけることのない、平和なコミュニケーションツールになると思っています。

デマ情報の拡散、自分に向けられる誹謗中傷の数々は、決して他人事ではなく、本当に突然、自分の身に降りかかることなので、万が一にでも被害を受けた場合、この本が参考になれば幸いです。また同時に、誹謗中傷された側がもっと簡単に、労力をかけずに守られる法律へ改正されることを願ってやみません。

最後になりましたが、今回このような機会を与えてくださったリックテレコム社の矢島編集長をはじめ、同様の被害を受けたお立場として取材にご協力いただきましたスマイリーキクチさん、石橋建設工業の石橋社長、また、法律部分の監修をしていただきました小沢弁護士に心からお礼申し上げます。

著者紹介

さはらえり

都内デザイン会社代表取締役社長。

1980年神奈川県生まれ。大学にて情報学を専攻し、卒業後、イギリスへ留学。帰国後はシステムエンジニアとして企業のインフラ整備に携わる。2019年1月に会社を設立し、中小企業向けにDX(デジタルトランスフォーメーション)推進によるWebデザインからソーシャルデザインまで、多岐にわたって支援を行っている。

ネット社会と闘う～ガラケー女と呼ばれて～

2021年2月27日 第1版第1刷発行

著　者　さはらえり
発行者　土岡正純
発行所　株式会社リックテレコム
〒113-0034 東京都文京区湯島3-7-7
振替　00160-0-133646
電話　03(3834)8380(営業)
03(3834)8104(編集)
URL　http://www.ric.co.jp/
装　丁　ビヘイビアデザイン
組　版　株式会社リッククリエイト
印刷·製本　シナノ印刷株式会社

乱丁・落丁本はお取り替え致します。
ISBN978-4-86594-278-1
Printed by Japan